Anna Selby et Alan Herdman

Découvrez la méthode
Pilates

Exercices pour tonifier tous les muscles du corps

Traduit de l'anglais par Michelle

D1470260

LES ÉDITIONS DE
L'HOMME

Photos: Paul Forrester, Andy Rumball
Maquette intérieure: Phil Gamble

Données de catalogage avant publication (Canada)

Selby, Anna
    Découvrez la méthode Pilates: exercices pour tonifier tous les muscles du corps

    Traduction de: Pilates

    1. Pilates, Méthodes.   2. Exercice.   3. Condition physique.   4. Éducation physique.
I. Herdman, Alan.   II. Titre.

RA781.S4514   2002   613.7'1   C2002-941679-5

DISTRIBUTEURS EXCLUSIFS:

• Pour le Canada
  et les États-Unis:
  MESSAGERIES ADP*
  955, rue Amherst
  Montréal, Québec
  H2L 3K4
  Tél.: (514) 523-1182
  Télécopieur: (514) 939-0406
  * Filiale de Sogides ltée

• Pour la France et les autres pays:
  VIVENDI UNIVERSAL PUBLISHING SERVICES
  Immeuble Paryseine, 3, Allée de la Seine
  94854 Ivry Cedex
  Tél.: 01 49 59 11 89/91
  Télécopieur: 01 49 59 11 96
  Commandes: Tél.: 02 38 32 71 00
                 Télécopieur: 02 38 32 71 28

• Pour la Suisse:
  VIVENDI UNIVERSAL PUBLISHING SERVICES SUISSE
  Case postale 69 - 1701 Fribourg - Suisse
  Tél.: (41-26) 460-80-60
  Télécopieur: (41-26) 460-80-68
  Internet: www.havas.ch
  Email: office@havas.ch
  DISTRIBUTION: OLF SA
  Z.I. 3, Corminbœuf
  Case postale 1061
  CH-1701 FRIBOURG
  Commandes: Tél.: (41-26) 467-53-33
                 Télécopieur: (41-26) 467-54-66
                 Email: commandes@ofl.ch

• Pour la Belgique et le Luxembourg:
  VIVENDI UNIVERSAL PUBLISHING SERVICES BENELUX
  Boulevard de l'Europe 117
  B-1301 Wavre
  Tél.: (010) 42-03-20
  Télécopieur: (010) 41-20-24
  http://www.vups.be
  Email: info@vups.be

Pour en savoir davantage sur nos publications,
visitez notre site: **www.edhomme.com**
Autres sites à visiter: www.edhomme.com • www.edtypo.com
www.edvlb.com • www.edhexagone.com • www.edutilis.com

Dépôt légal: 4e trimestre 2002
Bibliothèque nationale du Québec

ISBN 2-7619-1746-4

Gouvernement du Québec – Programme de crédit d'impôt
pour l'édition de livres – Gestion SODEC.

L'Éditeur bénéficie du soutien de la Société de développement
des entreprises culturelles du Québec pour son programme
d'édition.

Nous reconnaissons l'aide financière du gouvernement
du Canada par l'entremise du Programme d'aide au
développement de l'industrie de l'édition (PADIÉ) pour nos
activités d'édition.

Découvrez la méthode
Pilates

Comment utiliser ce livre

Ce livre se présente comme un cours progressif. Le programme commence par une auto-évaluation qui vous aidera à connaître vos forces et vos faiblesses et à situer certains muscles importants et souvent méconnus. Vous aurez intérêt à refaire les exercices d'auto-évaluation dans les semaines qui suivent afin de constater les changements, ce qui constitue toujours une surprise agréable !

Les exercices d'échauffement qui commencent à la page 48 sont les mêmes à tous les niveaux. Effectuez-les au début de chaque session afin de vous aider à vous concentrer et de prendre davantage conscience de votre corps avant d'entreprendre les exercices plus complexes. À chaque niveau, les exercices font travailler toutes les parties du corps, mais vous constaterez que certaines parties sont plus fortes et plus flexibles que d'autres. Il serait préférable que vous maîtrisiez tous les exercices d'un même niveau avant de passer au suivant. Dans chaque niveau, certains exercices sont plus difficiles que d'autres ; laissez-en quelques-uns de côté, par exemple les abdominaux avancés du niveau 3, jusqu'à ce que vous vous sentiez suffisamment fort. Il est très important de développer progressivement votre « génératrice », qui constitue le soutien pelvien et abdominal de tout le corps, afin de pouvoir ensuite exécuter des mouvements plus difficiles en toute sécurité. Si au cours d'un exercice vos muscles abdominaux font saillie ou tremblent, arrêtez ! Vos muscles vous font savoir qu'ils ne sont pas encore prêts. Dans ce cas, diminuez les répétitions du mouvement ou son intensité.

Le nombre de répétitions est indiqué pour chaque exercice. N'essayez pas d'en faire plus. La méthode Pilates favorise la qualité et la précision plutôt que la quantité. Fixez-vous un objectif de trois sessions par semaine, avec un jour de repos entre chacune.

Aucun des exercices de ce manuel n'est aérobique, aucun ne fait appel aux capacités respiratoires. Pour compléter le programme, nous recommandons la pratique d'exercices aérobiques réguliers. La marche rapide est facile à incorporer à vos exercices quotidiens ; la natation et la bicyclette sont également à conseiller. En revanche, la course à pied ou le jogging sont à éviter car ils peuvent causer des blessures, surtout aux genoux et au dos, particulièrement si vous courez sur une surface dure comme l'asphalte. Essayez de faire trois séances d'exercices de vingt minutes par semaine, en retenant l'activité qui vous laisse légèrement essoufflé.

Table des matières

À propos des auteurs

Anna Selby a pratiqué plusieurs genres de danse et d'exercices, y compris le ballet, la technique Martha Graham, le yoga et le taï chi. Cependant, elle s'est d'abord intéressée à la méthode Pilates et, en 1985, son *Woman's Workout Book* fut le premier livre à la faire connaître au Royaume-Uni. Elle a depuis écrit neuf autres ouvrages, la plupart ayant pour thèmes l'exercice et la santé et abordant l'aromathérapie et la médecine chinoise des herbes. Elle fut reporter spécialisée pour l'émission radiophonique populaire *Woman's Hour* à la BBC. Maintenant journaliste à la pige, elle écrit dans divers journaux et magazines, notamment *The Times*, le *Daily Telegraph*, l'*Evening Standard* et *Harpers and Queen*.

Alan Herdman est le spécialiste de la méthode Pilates au Royaume-Uni. Il l'a apprise à New York, puis a ouvert le premier studio Pilates en Angleterre à Londres au début des années 1970. Auparavant, il avait fait l'apprentissage de la technique Martha Graham avec le London Contemporary Dance et il avait suivi une formation de professeur de danse théâtrale. En plus du studio de Londres, il a mis sur pied plusieurs studios ailleurs dans le monde, notamment en Suède et en Israël. En tant que professeur entraîneur, il a enseigné à plusieurs professeurs de Pilates, ainsi qu'aux danseurs de la London School of Contemporary Dance, de l'English National Ballet, du Houston Ballet et de l'Israel's Bat-Dor Dance Company. Il travaille aussi avec l'English National Ballet School and Company, la Royal Academy of Dance et l'Elmhurst Ballet School. Chaque année, on l'invite au Japon et aux États-Unis comme professeur.

Introduction

Joseph Pilates affirmait fièrement avoir inventé une méthode qui avait cinquante ans d'avance. Étant donné sa grande popularité de nos jours, nous ne pouvons qu'acquiescer. La méthode Pilates a obtenu ce succès à partir d'un seul studio à New York, fréquenté par des danseurs professionnels. Elle est maintenant pratiquée dans le monde entier par des gens de tous âges et issus de toutes les couches sociales.

Les raisons de cette réussite tiennent au fait tout simple que cette méthode donne des résultats. Parmi tous les programmes à la mode lancés au cours des dernières décennies, la méthode Pilates s'est distinguée comme celle qui pouvait réellement servir à modeler votre corps tel que vous le voulez, sans aucun risque.

La majorité des sports et des programmes d'exercices se concentrent sur les muscles plus gros et plus forts. Au fur et à mesure que ceux-ci deviennent plus forts et plus gros, les muscles plus petits et plus faibles sont oubliés. Dans la technique Pilates cependant, les muscles plus faibles — généralement ceux que nous méconnaissons — sont renforcés, alors que les muscles plus gros se tonifient et s'allongent progressivement, développant un corps équilibré, souple et harmonieux. Il faut beaucoup de concentration, de maîtrise et de précision pour localiser les muscles plus petits et apprendre à les utiliser. C'est pour cette raison que la méthode Pilates est souvent appelée «l'exercice réfléchi». Elle nécessite un synchronisme particulier de l'esprit et du corps qui, à son tour, procure un sentiment d'harmonie et d'intégration plus souvent associé aux techniques de méditation et de gymnastique orientales.

La concentration est l'un des six principes de base de la méthode Pilates. Joseph Pilates citait volontiers le poète Schiller: «C'est l'esprit lui-même qui bâtit le corps.» Les autres principes de base sont la respiration, le contrôle, l'équilibre, la fluidité et la précision. Les exercices sont sécuritaires parce qu'ils sont très contrôlés et parfaits à tout âge, comme on

le constate en voyant les nombreux habitués du studio londonien d'Alan qui affichent leurs soixante-dix ans. Cette méthode est également idéale pour les victimes d'un accident en période de réadaptation.

La méthode permet d'apprendre à connaître son propre corps. Comme vous le découvrirez dans ce manuel, votre posture s'améliorera, vos muscles se tonifieront, vos articulations seront plus mobiles et l'aspect de votre corps sera plus allongé et plus équilibré. Vous y parviendrez, non pas par des répétitions fastidieuses d'exercices ennuyeux qui engourdissent l'esprit, mais par des mouvements simples qui font appel au contrôle des muscles plutôt qu'à la routine de l'exercice. Au début, il semblera se passer peu de choses, surtout si vous êtes familier des séances d'aérobic ou des salles de musculation où l'on soulève des poids lourds. Afin de pouvoir utiliser votre corps correctement, vous devrez prendre conscience qu'il est une entité intégrée — un grand nombre d'exercices de base ont pour but de localiser les muscles oubliés et d'apprendre à déplacer le corps pour obtenir les meilleurs résultats possible.

En suivant chaque étape de ce livre, vous pourrez vous attendre à obtenir le corps que vous avez toujours voulu avoir. Vous ne perdrez pas nécessairement de poids — les muscles sont plus lourds que le gras —, mais votre ventre sera plus plat, vos membres seront renforcés et allongés, vos fesses seront relevées ; vous posséderez la prestance et l'élégance d'un danseur. Mieux encore, les leçons apprises se répercuteront dans votre vie quotidienne, ce qui rendra les activités les plus routinières — s'asseoir, marcher ou se tenir debout — empreintes de grâce et d'équilibre.

Chapitre premier

Origine de la méthode Pilates

Joseph Hubertus Pilates est né en 1880, près de Düsseldorf, en Allemagne. Il était un enfant chétif menacé de tuberculose.

Cependant, il était si résolu à améliorer sa condition physique qu'il travailla sans relâche à développer son corps jusqu'à ce que, à l'âge de quatorze ans, il devienne modèle pour des dessins anatomiques. Il continua et devint bientôt un sportif accompli dans diverses disciplines: il fut gymnaste, skieur, plongeur, boxeur et même artiste de cirque. En 1912, il quitta son Allemagne natale pour se rendre en Angleterre où il devint boxeur professionnel et professeur d'autodéfense à Scotland Yard.

Lorsque la Première Guerre mondiale éclata, deux ans plus tard, les autorités britanniques l'emprisonnèrent à titre de citoyen allemand. Il profita de cette période pour développer ses idées sur la santé et la condition physique. Son inspiration s'abreuvait à plusieurs sources, allant du yoga à l'étude des mouvements des animaux. Il initia ses compagnons de détention à ses découvertes de sorte qu'aucun

d'eux ne mourut de l'épidémie de grippe de 1918.

Après la guerre, il rentra en Allemagne et travailla avec la plupart des pionniers de la technique du mouvement, mais plus étroitement avec Rudolf von Laban, inventeur d'un système d'écriture du mouvement en danse encore largement utilisé aujourd'hui. Au même moment, Joseph Pilates travaillait

MARTHA GRAHAM

La chorégraphe américaine, également danseuse, professeur et pionnière de la danse moderne, telle qu'elle apparaissait dans *Salem Shore* (vers 1924)

comme entraîneur pour la police de Hambourg. Il ne resta pas longtemps en Allemagne. Avec sa femme Clara, en 1923, il partit pour New York, afin d'y ouvrir son premier studio.

La méthode Pilates connut un succès immédiat aux États-Unis, surtout parmi les danseurs. Martha Graham et George Balanchine furent les premiers convertis. Les danseurs, dont le métier est souvent cause de blessures, furent les premiers à découvrir que les exercices Pilates accéléraient le processus de guérison, et cela à une époque où les effets thérapeutiques de la réadaptation étaient méconnus. Ayant travaillé comme infirmier durant son emprisonnement, Pilates en avait profité pour expérimenter un dispositif de ressorts fixés à un lit d'hôpital ; les patients pouvaient ainsi renforcer leurs muscles avant de pouvoir se lever.

Ce dispositif lui donna l'idée d'un appareil qu'il appela « réformateur universel ». Il s'agissait d'un lit coulissant muni de ressorts, jusqu'à quatre selon l'exercice et la force de l'utilisateur. Cet appareil est à présent connu sous le nom de « l'appareil à pliés » et occupe toujours une place importante au studio Pilates. D'autres appareils furent mis au point ensuite et la méthode Pilates ne cessa de se développer, gagnant en popularité.

Alan Herdman introduisit la méthode en Angleterre au début des années 1970, après l'avoir étudiée à New York avec deux disciples de la première heure, Bob Fitzgerald et Carola Trier, qui elle-même avait été formée par Joseph Pilates. À Londres, le studio d'Alan est aujourd'hui considéré comme le centre international de la méthode Pilates. Durant les décennies qui suivirent l'ouverture du studio de Joseph Pilates, sa méthode évolua de différentes façons. Certains professeurs mirent au point une méthode à percussion, où le rythme rapide se conjugue à la respiration. Cette technique contribue à développer de gros muscles, au détriment des moins développés. L'un des éléments les plus caractéristiques de l'enseignement d'Alan Herdman est la respiration contrôlée, où tous les efforts se concentrent sur l'expiration ; cette technique vise à former un corps bien équilibré, ainsi qu'un esprit détendu, capable d'une grande concentration. Tous les mouvements sont extrêmement lents et rythmés, permettant de repérer les muscles les plus faibles et de les faire bien travailler.

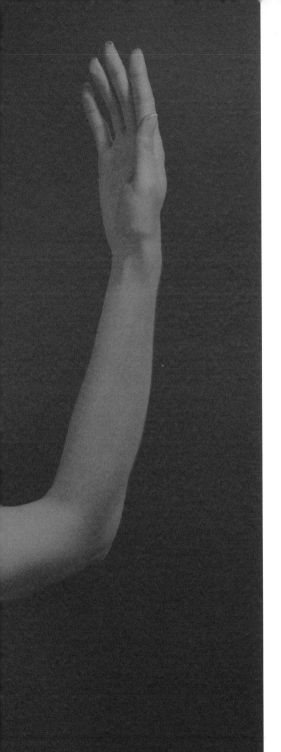

Chapitre deux

Les principes de base du corps

Avant de commencer, prenez le temps d'évaluer votre corps. Nous avons tous de mauvaises habitudes posturales ou gestuelles qu'il est indispensable de connaître avant d'entreprendre un programme d'exercices.

La posture et la respiration sont au cœur de la méthode Pilates. Tous les exercices sont basés sur ces deux éléments. Les principes de base du corps sont destinés à vous montrer comment évaluer votre posture et votre respiration par des exercices simples à effectuer sur le sol ou devant un miroir. Prenez le temps qu'il faut pour procéder à cette évaluation avant de commencer le programme, vous serez récompensé au centuple!

Les groupes musculaires

La méthode Pilates fait appel aux muscles dans un but précis. C'est la qualité du mouvement qui importe, découlant souvent de l'utilisation bien coordonnée de plusieurs muscles, et cela quel que soit l'exercice. Certains de ces muscles peu utilisés peuvent s'avérer faibles, au point où ils peuvent être difficiles à localiser. Les illustrations montrent où se trouvent les principaux groupes musculaires. Pour une explication plus détaillée du rôle des muscles et de leur utilisation dans la méthode Pilates, consultez le glossaire à la page 141.

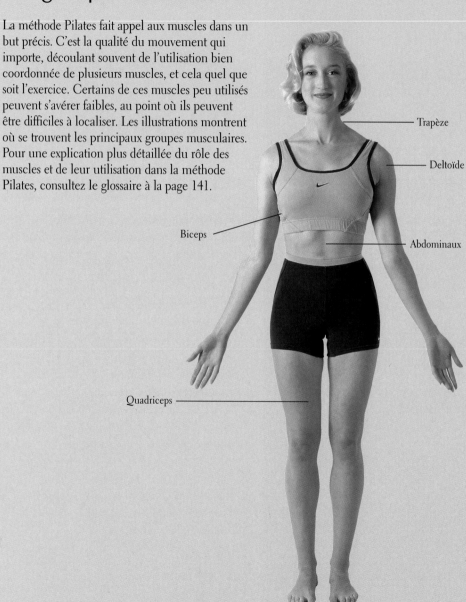

Trapèze

Deltoïde

Biceps

Abdominaux

Quadriceps

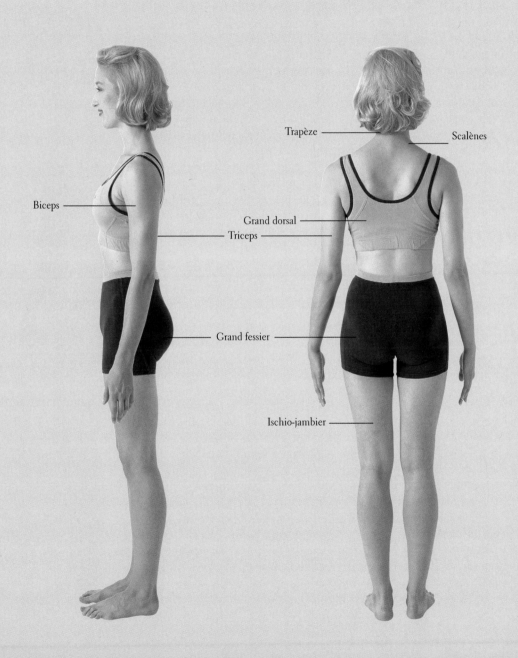

Biceps

Trapèze

Scalènes

Grand dorsal
Triceps

Grand fessier

Ischio-jambier

Bonne et mauvaise posture

Un des avantages les plus appréciables de la méthode Pilates est la silhouette allongée qu'elle permet d'obtenir, alliée à la forme gracieuse et souple d'un danseur. Au-delà des apparences, il importe de garder une bonne posture pendant les exercices, de façon à en tirer le maximum de profit. Si, par exemple, vous ne retenez pas vos muscles abdominaux, vous risquez de forcer votre dos; par ailleurs, faire des mouvements de bras lorsque le cou et les épaules sont tendus ne peut qu'augmenter la tension et vous donnera probablement mal à la tête.

La photographie ci-contre, qui montre une femme qui se tient mal, peut paraître quelque peu exagérée et vous seriez très malchanceux de découvrir dans votre maintien tous les défauts qu'elle illustre. Elle indique pourtant les mauvaises postures les plus courantes. Ce serait une bonne idée de commencer votre propre évaluation devant un miroir, pour comparer la forme de votre corps à celle du modèle. Regardez-vous bien de face et de profil et procédez à la vérification de chacun des points à l'aide des indications qui suivent. Prenez le temps qu'il faut.

Tête et cou

Est-ce que votre menton fait saillie ou pointe vers le haut? Si c'est le cas, il décentre votre colonne vertébrale et raccourcit les muscles à l'arrière du cou. Nous avons tendance à oublier que l'arrière du cou est la partie supérieure de la colonne vertébrale et que, lorsqu'il est comprimé, la colonne se trouve elle-même comprimée et distordue. Pour que votre tête et votre cou soient dans la bonne position, regardez droit en avant, le menton tiré légèrement vers l'arrière. Essayez d'imaginer la sensation que vous éprouveriez si le haut de votre tête était attaché à une corde que l'on tirait pour la séparer de votre corps, allongeant le cou et la colonne.

Épaules et bras

Ces membres sont souvent un lieu de tension et la cause de mauvaises postures et de maux de tête. Regardez-vous dans le miroir et voyez si vos épaules et le haut de votre dos sont courbés vers l'avant. Peut-être sont-ils tendus vers l'arrière, raides comme chez les militaires, repoussant le sternum vers l'extérieur. Vos épaules sont-elles à égalité? Une personne qui porte un sac ou une mallette toujours sur le même côté peut avoir une épaule plus haute que l'autre. Observez bien les photos et essayez de laisser retomber les épaules naturellement et à la même hauteur pour dégager

le cou. Les bras devraient pendre avec souplesse et il ne devrait y avoir aucune tension dans les poignets et les mains. Tous les mouvements des bras sont amorcés par les muscles situés dans le milieu du dos plutôt que dans les épaules. Si, en effectuant un exercice, vous ressentez une tension dans le cou ou les épaules, effectuez des rotations des épaules dans les deux directions à quelques reprises.

Dos et ventre

« Du nombril à la colonne vertébrale » est le mantra de la méthode Pilates ! C'est le point de départ de presque tous les exercices, pour la simple raison que c'est la base d'une bonne posture. Regardez-vous de profil dans le miroir. Est-ce que le bas de votre dos est creusé ? Est-ce que votre ventre ou votre derrière font saillie ? Maintenant, essayez de rentrer le nombril comme si vous le poussiez vers la colonne vertébrale et observez le changement. Vous devriez vous sentir longiligne et doucement soutenu. Lorsque vous faites de l'exercice dans cette posture, vous protégez votre dos et vous renforcez vos muscles abdominaux.

Fesses

En repoussant le nombril vers la colonne, vous sentirez le pelvis basculer très légèrement vers le haut. Vous devez garder cette posture en serrant légèrement les muscles les plus bas dans les fesses elles-mêmes. C'est le troisième élément dans la « génératrice » de la méthode Pilates, les autres étant les muscles abdominaux et les muscles grands dorsaux dans le milieu du dos. Ensemble, ils contribuent à soutenir le corps dans un alignement parfait.

Jambes et pieds

Sans trop rentrer les genoux vers l'arrière, maintenez les jambes droites et allongées. Si un exercice requiert que vous étiriez une jambe, vous devriez sentir l'étirement tout le long de votre jambe, en remontant jusqu'aux muscles fessiers. Il y a deux positions de base des pieds pour tous les exercices. Dans la première, un pied fléchi forme un angle droit avec la jambe. Ne forcez pas les orteils vers l'arrière, ce qui pourrait causer une crampe, mais gardez-les alignés avec le reste du pied. Dans la deuxième position, le pied est pointé. Ici, le pied s'étend loin de la cheville dans une longue ligne droite. Encore une fois, n'oubliez pas d'éviter de courber les orteils.

Auto-évaluation :
la colonne vertébrale

PLACER LA COLONNE VERTÉBRALE
(ROULEMENT DESCENDANT)

La méthode Pilates a souvent été appelée, avec raison, « l'exercice qui fait penser », tout simplement parce qu'elle requiert une prise de conscience constante de chacune des parties du corps. Dans les autres programmes d'exercices, un simple étirement du côté, par exemple, ne va pas plus loin. Dans la méthode Pilates, c'est tout le corps qui travaille. Avant d'effectuer un étirement, vous devez vous assurer que l'effort sera soutenu par la puissance de la « génératrice », que vous ne ressentez pas de tension dans le cou ou les épaules et que le mouvement s'amorcera dans les bons muscles. En portant une attention constante à la posture et à l'alignement de la colonne, un des exercices les plus utiles que vous pourrez faire pour vérifier et corriger ceux-ci est le roulement descendant. Il vous permettra également d'observer la rigidité de vos muscles ischio-jambiers.

➲ Position 1

Tenez-vous de profil devant un miroir, les pieds écartés d'environ 45 cm. Vérifiez votre posture en passant en revue tous les points mentionnés dans les pages précédentes. Les épaules devraient être détendues, relâchées dans le dos, les bras lâches et allongés de chaque côté du corps. Rentrez le nombril vers la colonne, relevez la tête pour détendre et étirer le dos et assurez-vous que le creux du dos n'est pas arqué.

↻ Position 2

Abaissez légèrement le menton vers la poitrine, en sentant l'étirement tout le long de votre cou et du haut de votre dos. Laissez la courbe se faire progressivement, afin que vos épaules et le haut de votre dos commencent à rouler vers l'avant.

↻ Position 3

Laissez la courbe s'accentuer pour atteindre le bas du dos. Laissez les bras pendre naturellement devant vous. Maintenant, sans rentrer le derrière — les jambes devraient être droites et non tendues vers l'arrière — laissez tout le haut du corps suspendu à l'envers pendant une seconde ou deux. Essayez de percevoir les espaces entre vos vertèbres pendant que vous continuez à descendre, mais ne vous forcez pas à toucher le sol si cela ne se produit pas naturellement. Le poids de votre tête allongera automatiquement votre colonne vertébrale.

↻ Position 4

Remontez aussi lentement que possible, en gardant une sensation d'étirement dans le dos. Premièrement, sentez les muscles fessiers qui tirent en dessous pour placer le pelvis et ancrer la base de la colonne. Maintenant, déroulez la colonne, une vertèbre à la fois, en gardant une position élancée et étirée et en rentrant le nombril vers la colonne. Lorsque vous redressez le dos, prenez conscience des épaules qui retombent naturellement et, en dernier, alignez le cou et la tête avec la colonne. Vous devriez maintenant avoir une bonne posture, étirée et soutenue par les muscles de la « génératrice ». Vous pouvez pratiquer le roulement descendant au début de chaque exercice à n'importe quel niveau, uniquement pour vérifier votre posture ou encore lorsque vous vous sentez tendu ou mal aligné.

Auto-évaluation :
la partie supérieure du corps

La partie supérieure du corps semble la plus souvent éprouvée par le stress de la vie quotidienne. La tension peut y être visible et créer toutes sortes de problèmes ; muscles en boule et rigides, épaules voûtées, colonne déformée, respiration insuffisante et maux de tête. La méthode Pilates vise à libérer cette partie du corps, de sorte que la colonne soit allongée, que les épaules soient détendues, que le cou soit long et le port de tête gracieux.

Commencez cet exercice en vous tenant devant un miroir. Votre tête est-elle soutenue par un cou allongé ou semble-t-elle s'enfoncer dans vos épaules ? Vos épaules sont-elles à la même hauteur ? Sont-elles voûtées vers l'avant, repoussant votre sternum vers l'intérieur ?

Maintenant, tenez-vous de côté et regardez votre image dans la glace. Vos omoplates font-elles saillie ? Votre tête penche-t-elle trop vers l'avant ou votre menton pointe-t-il ? Si vous vous tenez bien, vous devriez pouvoir tirer une ligne droite qui va de l'oreille à la hanche en passant par l'épaule.

Essayez de vous tenir correctement en consultant les photographies des pages 20 et 21, ou effectuez le mouvement du roulement descendant. Ces deux exercices vous aideront à évaluer votre tension pour commencer à la libérer et à améliorer votre posture.

HAUSSEMENT DES ÉPAULES
Ce simple exercice sera développé un peu plus loin. Pratiquez-le maintenant afin de laisser les épaules se détendre et retomber naturellement. Placez-vous devant un miroir pour cet exercice. Vous devriez percevoir un changement graduel dans la position des épaules après avoir répété trois fois l'exercice.

↻ Position 1
Tenez-vous dans une position correcte, les bras relâchés de chaque côté du corps. Maintenant, tirez les épaules vers les oreilles aussi haut qu'elles pourront aller et gardez cette position le temps de compter lentement jusqu'à cinq.

↻ Position 2
Maintenant, laissez retomber les épaules doucement. Ne vous efforcez pas de les placer, laissez-les simplement retomber. Comparez à présent votre posture à celle que vous aviez au début de l'exercice. Corrigez-la afin que les épaules se retrouvent à la même hauteur et que le cou soit bien allongé. C'est cette posture que vous devrez adopter en permanence.

PRESSION DES BRAS

Cet exercice indique le point de départ pour chaque mouvement des bras. La tension que nous ressentons dans le cou et les épaules est fréquemment causée par l'utilisation de muscles qui ne devraient pas être sollicités pour faire bouger les bras. La plupart des gens, lorsqu'ils lèvent ou étirent les bras, amorcent leur geste en remuant les épaules. Or, les mouvements des bras devraient prendre appui beaucoup plus bas dans le dos, mobilisant les grands dorsaux et le trapèze inférieur, les muscles des omoplates. Le recours à ces muscles améliorera la posture, réduira la tension et rendra les mouvements des bras plus gracieux.

 Position 1

Tenez-vous devant un miroir, les épaules et les bras détendus et la tête soutenue par un cou bien allongé. Dégagez les bras vers l'arrière, mais avant d'amorcer le mouvement, concentrez-vous sur les grands dorsaux derrière les omoplates qui se mettent en mouvement et tirent vers le bas. Vous verrez vos épaules descendre légèrement.

⮯ Position 2

Bras droits et paumes tournées vers l'arrière, déplacez les bras vers l'arrière d'un seul geste, les paumes le plus haut possible. Vous sentirez les grands dorsaux travailler. Étirez-vous vers l'arrière, les paumes levées, très lentement. Si vos épaules commencent à se relever ou vos mains à se tourner, vous êtes allé trop loin. Si vous exécutez correctement le mouvement, vous sentirez en même temps une ouverture de la poitrine. Revenez à la position de départ et répétez le mouvement de trois à cinq fois. Maintenant que vous avez éprouvé cette sensation, essayez de toujours utiliser les grands dorsaux de cette façon.

Auto-évaluation : la «génératrice»

Selon Joseph Pilates, un noyau central de force est le fondement de tout exercice. C'est ce qu'il a appelé la «génératrice». Elle comprend les grands dorsaux, comme nous l'avons vu dans les pages précédentes, ainsi que l'abdomen et le fessier, les plus importants. C'est la raison pour laquelle avant de commencer quelque exercice que ce soit, il est indispensable de prendre une profonde inspiration et, en expirant, de rentrer le nombril vers la colonne. Au fur et à mesure que les muscles de la «génératrice» prendront de la vigueur, vous pourrez progresser dans le programme Pilates. Si vous négligez de développer ce noyau central de force, il sera impossible d'effectuer les exercices qui suivent ou, alors, vous devrez vous imposer un effort corporel qui occasionnera fort probablement des problèmes — notamment au dos.

Il est également primordial de prendre note que l'effort doit toujours être accompli au moment de l'expiration. Dans certains programmes d'exercices, y compris la méthode Pilates lorsqu'elle est mal enseignée, l'effort fourni au cours de l'inspiration produit une tension et les muscles se nouent. En bougeant plutôt au moment de l'expiration, vous pourrez acquérir ce corps allongé et fort auquel vous aspirez depuis longtemps et cela, sans surtaxer vos muscles.

Les muscles abdominaux sont souvent sous-utilisés et faibles, ce qui impose un effort indu au dos. Dans la méthode Pilates, ils sont mobilisés en permanence, non seulement durant l'exercice, mais toute la journée, favorisant une meilleure apparence et une charpente plus forte. L'exercice illustré à la page 28, appelé la bascule du pelvis, vous aidera à localiser les muscles abdominaux et à les utiliser correctement. Vous pourrez être sous l'impression que très peu de choses se passent, mais à moins que vous appreniez à vous servir de ces muscles correctement, vous serez incapable de faire des bascules du pelvis plus difficiles par la suite. Vos abdominaux sont faibles s'ils commencent à faire saillie à l'effort. S'ils réagissent ainsi, arrêtez immédiatement.

L'exercice suivant, le cosaque, mobilise les grands dorsaux en même temps que les abdominaux. Vous pouvez de cette façon évaluer leur force et la flexibilité de votre colonne.

LE COSAQUE
Cet exercice figure au chapitre quatre, niveau 1. Il sert ici à évaluer votre force et votre flexibilité. Vous devrez vous asseoir ou vous tenir debout devant un miroir afin d'observer exactement ce que fait votre corps. Répétez l'exercice deux à trois fois, en essayant d'aller un peu plus loin chaque fois.

↻ Position 1

Assoyez-vous ou tenez-vous debout devant un miroir, les bras croisés en souplesse, parallèles au sternum. Ne serrez pas les mains afin de ne pas créer de tension dans le cou et les épaules, qui devraient rester libres et détendus. Les hanches sont orientées vers l'avant et ne devraient pas bouger durant l'exercice. Inspirez et, en expirant, tirez les grands dorsaux vers le bas du dos et rentrez le nombril vers la colonne.

↻ Position 2

Tout en gardant les hanches face au miroir, effectuez une lente rotation du torse d'un côté, en imaginant que votre corps tourne autour de votre colonne. Laissez l'effet de torsion remonter dans le haut du dos et, enfin, dans la tête. Gardez les épaules détendues.

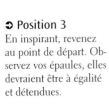

↪ Position 3

En inspirant, revenez au point de départ. Observez vos épaules, elles devraient être à égalité et détendues.

↪ Position 4

Refaites le mouvement lentement de l'autre côté. Revenez en position initiale et répétez l'exercice deux ou trois fois de chaque côté, en observant vos épaules chaque fois que vous revenez en position centrale.

LA BASCULE DU PELVIS

Cet exercice est identique à la toute première bascule du pelvis que vous devez exécuter au chapitre quatre, niveau 1. Il est décrit ici pour vous permettre d'évaluer votre posture et de localiser vos abdominaux. D'abord, allongez-vous sur le sol, les genoux repliés et les pieds écartés d'environ 7 cm. Les bras, posés de chaque côté, devraient être détendus, sans causer de tension dans les épaules ou le cou. Vérifiez l'espace entre le bas du dos et le sol. Idéalement, il devrait être minime. Maintenant, inspirez et, en expirant, rentrez le nombril vers la colonne. Vous sentirez cet espace diminuer.

⊘ Position 1

Restez allongé et posez les pieds sur une chaise de façon que les genoux repliés forment un angle droit. L'espace entre le bas du dos et le sol devrait être encore plus minime que lorsque vos jambes étaient étendues sur le sol. Le dos devrait reposer complètement à plat. Glissez un coussin entre vos cuisses — pour garder le pelvis bien centré pendant tout l'exercice.

↻ Position 2

Prenez une respiration profonde et, en expirant, rentrez le nombril vers la colonne. Constatez que votre dos s'aplatit sur le sol. En même temps, serrez les muscles tout en bas des fesses, ce qui vous donnera l'impression d'avoir une pelle dans l'abdomen. Vous retrouverez cette impression lorsque vous devrez exécuter des bascules du pelvis en roulant sur le sol.

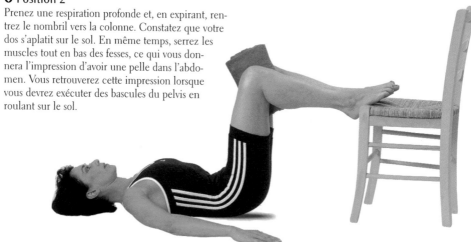

SUGGESTIONS POUR VOUS AIDER

En parcourant ce chapitre, vous aurez probablement noté certains défauts dans votre posture. Ne vous découragez pas. Si votre posture était parfaite, vous n'auriez pas besoin d'aide ! Efforcez-vous de bien circonscrire vos défauts et, si possible, effectuez les exercices suggérés au chapitre quatre pour y remédier. N'oubliez pas de toujours faire des exercices d'échauffement avant de commencer.

1. Observez-vous dans une glace et répondez aux questions suivantes :
- Votre ventre ressort-il ?
- Votre derrière ressort-il ?
- Le bas de votre dos est-il arqué ?
- Votre menton ressort-il et pointe-t-il vers le haut ?

Si vous avez répondu « oui » à ces questions, vous devez développer votre « génératrice » et renforcer vos abdominaux, vos muscles fessiers, ischio-jambiers et grands dorsaux. Effectuez les exercices décrits aux pages 64, 68-69, 91, 92-93, 96, 100, 108, 109 et 133.

2. Vos épaules sont-elles raidies par la tension ?
- Roulent-elles vers l'avant, avez-vous le dos rond ?
- Sont-elles tendues vers l'arrière, vous causant des raideurs au dos et dans le cou ?

Si c'est le cas, vous avez besoin d'exercices des épaules. Consultez les pages 51, 60-61, 63 et 80.

3. Vos jambes sont-elles bien droites et allongées ?
Sinon, exécutez les exercices de tonification des jambes aux pages 70-71, 88-89, 116-117.

4. Les muscles au-dessus de vos genoux sont-ils flasques ?
Si c'est le cas, faites les exercices de renforcement des jambes aux pages 72-73, 98-99 et 129.

5. Lorsque vous avez effectué le roulement descendant décrit à la page 22, le bas de votre dos et vos ischio-jambiers semblaient-ils comprimés ?
Si c'est le cas, étirez-les à l'aide des exercices des pages 52, 100 et 133.

6. Avez-vous réussi les bascules du pelvis en page 28 sans faire ressortir vos abdominaux ?
Sinon, faites les exercices d'échauffement des pages 48-49.

7. Vous êtes-vous souvenu de respirer pendant tous les exercices d'auto-évaluation ?
Sinon, pratiquez l'exercice du foulard à la page 50.

Souvenez-vous que TENSION et DOULEUR ne sont pas le BUT des exercices. Faites seulement ce que vous pouvez et vous constaterez une amélioration graduelle et perceptible de votre posture.

Chapitre trois

Le studio Pilates

Un studio Pilates ne ressemble à aucun autre gymnase. L'atmosphère est calme et sans bruit, la musique est classique et reposante, à des années-lumière des rythmes soutenus qu'on entend dans les salles d'aérobic.

Dans un studio Pilates, on obtient plus rapidement les bénéfices des exercices d'étirement et de renforcement en luttant contre la résistance de ressorts, de poulies et de poids. Sous la direction d'un professeur d'expérience, une personne peut développer une posture parfaite tout en tonifiant et en raffermissant son corps. On y traite en toute sécurité des problèmes des bras flasques, des articulations des hanches rigides. Les tensions qui alourdissent le corps et l'esprit s'envolent en douceur.

La forme du corps varie d'un individu à l'autre ; chacun a ses propres capacités, ses mauvaises habitudes et son potentiel de développement. Dans un studio Pilates, chacun travaille avec un programme conçu individuellement selon ses besoins. Même si certaines personnes entretiennent des attentes irréalistes à l'endroit de programmes d'exercices, on peut affirmer que la méthode Pilates peut modifier radicalement la forme du corps, dans des limites anatomiques propres à la personne.

Il y a deux avantages à fréquenter un studio Pilates, même si la plupart des exercices qu'on y propose peuvent être effectués à la maison. Premièrement, l'utilisation d'appareils permet de savoir ce qu'un exercice exige précisément du corps. Sur l'appareil à pliés, par exemple, les muscles des cuisses et des fesses travaillent plus intensément que lorsque vous faites des pliés à la maison, probablement à un niveau plus profond ou en raison d'un plus grand étirement. Quand on le sait, on peut reproduire le même niveau d'intensité sans appareil, à la maison.

Deuxièmement, et c'est probablement le plus important, la supervision étroite d'un professeur permet de faire les correctifs appropriés à la posture, d'apprendre à bien respirer, à bien exécuter les mouvements et à choisir les exercices adéquats pour devenir plus fort et plus souple. C'est aussi avec beaucoup plus de confiance qu'on peut suivre le programme à la maison par la suite.

EXERCICES AVEC L'ÉQUIPEMENT PILATES

Le chapitre quatre, qui constitue la partie la plus importante de cet ouvrage, explique comment réaliser les exercices à la maison. Nous allons montrer la relation entre ces exercices et le fonctionnement d'un studio Pilates. Les photographies, toutes prises au studio londonien d'Alan Herdman, présentent seulement la moitié de l'équipement qu'on y trouve.

ÉTIREMENT DE CÔTÉ

C'est un étirement bénéfique à tous les muscles, de la hanche au thorax. Sur la photo de la page précédente, la personne effectue l'exercice, assise sur une boîte posée sur un appareil à pliés. Pour une description détaillée de cet exercice, voir les pages 42-43.

À la maison, vous pouvez utiliser une chaise. Cet exercice, illustré au complet à la page 56, fait partie des exercices d'échauffement du début de chaque session.

La « génératrice »

La « génératrice » de force Pilates est axée sur les muscles abdominaux, mais elle s'étend aux muscles fessiers et aux grands dorsaux, soit les muscles du dos qui contrôlent les épaules et les mouvements des bras. La formule « Expirez, rentrez le nombril vers la colonne » est répétée comme un mantra dans un studio Pilates, au début de presque tous les exercices. La raison en est que la force nécessaire pour exécuter ceux-ci prend sa source dans les muscles abdominaux. Si ces muscles ne sont pas en contrôle d'un mouvement, ce sont d'autres muscles comme ceux du dos, du cou ou des épaules qui devront se mobiliser et qui pourront en subir des dommages. En sollicitant plutôt vos abdominaux, sans les forcer, vous développerez votre force et prendrez davantage conscience de votre posture. Les roulés abdominaux ou les roulements descendants décrits dans cette page et les trois suivantes montrent comment les muscles sont fortifiés et étirés dans un studio Pilates.

LE ROULEMENT DESCENDANT AVEC LE «QUATRE POTEAUX»

Le « quatre poteaux » est un appareil à usages multiples, comportant un lit dur, des ressorts, des poulies et des barres. Même les poteaux servent à certains exercices. L'exercice décrit ici est la version studio du roulement descendant de la page 135. Au studio, cependant, vous roulez vers l'arrière contre la résistance de deux ressorts, qui ralentissent le mouvement et vous font travailler plus fort.

↻ Position 1

Commencez en vous assoyant les genoux pliés, les pieds écartés parallèles aux hanches et les mains tenant la barre sans effort. Prenez une profonde respiration et, à l'expiration, rentrez le nombril vers la colonne en laissant votre corps se courber. Les bras commencent à s'étirer. Lorsque leur extension est complète, contractez les grands dorsaux afin que les épaules descendent.

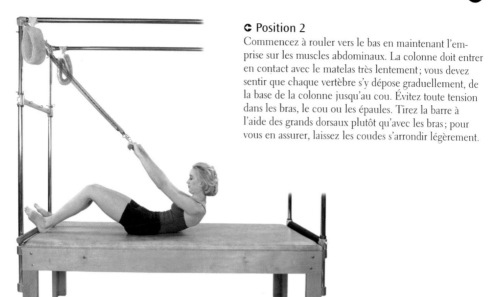

↻ Position 2

Commencez à rouler vers le bas en maintenant l'emprise sur les muscles abdominaux. La colonne doit entrer en contact avec le matelas très lentement ; vous devez sentir que chaque vertèbre s'y dépose graduellement, de la base de la colonne jusqu'au cou. Évitez toute tension dans les bras, le cou ou les épaules. Tirez la barre à l'aide des grands dorsaux plutôt qu'avec les bras ; pour vous en assurer, laissez les coudes s'arrondir légèrement.

➲ Position 3

Le cou et la tête sont les derniers à atteindre le matelas. Gardez la tête courbée jusqu'à ce que le cou s'allonge. Le dos devrait reposer complètement sur le matelas, sans courbure dans le bas de la colonne. Pliez les genoux légèrement pour y arriver. Une fois en position bien étendue, inspirez longuement et courbez-vous de nouveau lentement pour remonter.

ROULEAUX ABDOMINAUX SUR UNE BOÎTE

Voici un exercice abdominal beaucoup plus avancé pour les abdominaux. Il se pratique sur l'appareil à pliés, sur laquelle une boîte a été posée en guise de siège. Les pieds sont glissés sous une courroie. Plutôt que de travailler contre la résistance de ressorts, vous tenez un bâton qui aidera à garder les bras en extension et à égalité. C'est un exercice très difficile qui requiert une force véritable des muscles abdominaux et une grande conscience de sa posture.

◑ Position 1

Commencez en vous assoyant sur la boîte, les jambes droites et les pieds suffisamment repliés pour tenir la courroie en place. Tenez-vous très droit en vous étirant à partir des hanches, de façon à faire travailler les muscles des fesses et des jambes. Assurez-vous que votre dos est parfaitement droit et que votre cou est bien aligné avec votre colonne. Levez les bras en ramenant le bâton au-dessus de la tête. Évitez toute tension dans les épaules et le cou; ce dernier doit conserver toute sa mobilité. Inspirez profondément.

◑ Position 2

En expirant, rentrez le nombril vers la colonne. Puis commencez à dérouler le dos en descendant, de façon que les muscles abdominaux forment une pelle et que la tête et les épaules s'inclinent légèrement vers l'avant. En même temps, rabattez les bras en les maintenant bien tendus.

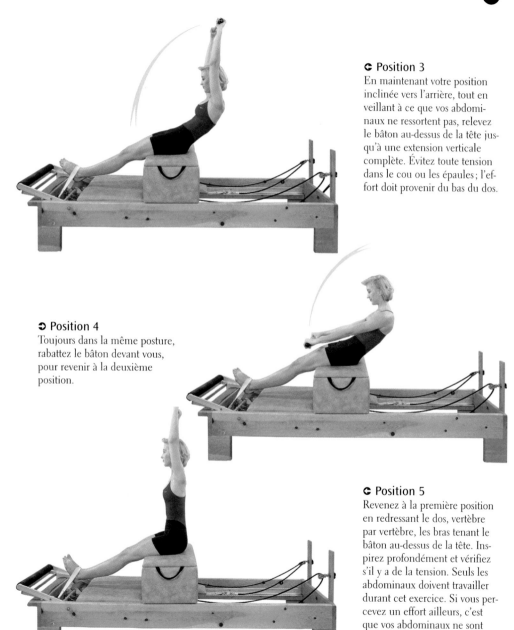

↻ Position 3

En maintenant votre position inclinée vers l'arrière, tout en veillant à ce que vos abdominaux ne ressortent pas, relevez le bâton au-dessus de la tête jusqu'à une extension verticale complète. Évitez toute tension dans le cou ou les épaules ; l'effort doit provenir du bas du dos.

↪ Position 4

Toujours dans la même posture, rabattez le bâton devant vous, pour revenir à la deuxième position.

↻ Position 5

Revenez à la première position en redressant le dos, vertèbre par vertèbre, les bras tenant le bâton au-dessus de la tête. Inspirez profondément et vérifiez s'il y a de la tension. Seuls les abdominaux doivent travailler durant cet exercice. Si vous percevez un effort ailleurs, c'est que vos abdominaux ne sont pas encore assez forts.

Les grands dorsaux et le torse

Les grands dorsaux constituent la section la plus haute de la « génératrice », mais on les oublie souvent. Ce groupe musculaire qui se situe derrière les omoplates devrait être à la source de tous les mouvements des bras et des épaules. La plupart des gens mobilisent leurs épaules plutôt que leurs grands dorsaux lorsqu'ils remuent les bras. Or, cet effort cause une tension du cou et des épaules, qui s'accompagne souvent de maux de tête. Muscles abdominaux forts et grands dorsaux utilisés à bon escient sont la clé d'une bonne posture. Les grands dorsaux sont des muscles qu'il ne faut ni oublier ni négliger.

Les exercices qui suivent sollicitent les grands dorsaux et le trapèze dans le but de bien étirer le haut du torse. En position assise, la plupart des gens sont courbés, montrant des épaules arrondies ; l'étirement du torse supérieur apporte à coup sûr une agréable sensation de relâchement et de libération du haut du corps.

LOCALISER LES GRANDS DORSAUX

Voici un bon exercice pour localiser les grands dorsaux et apprendre à les utiliser correctement. Il se rapporte à l'exercice de la page 62. Idéalement, vous devriez pratiquer les deux devant un miroir. Vous verrez ainsi comment se comportent vos épaules ; en réalité, elles ne devraient rien faire ! Le travail se fait dans le dos, alors lorsque la barre monte et descend, il ne devrait y avoir aucun mouvement dans les épaules.

➔ Position 1
Assoyez-vous bien droit, les genoux joints, les épaules abaissées vers l'arrière et la colonne bien droite. Inspirez et, en expirant, rentrez le nombril vers la colonne. Saisissez la barre légèrement avec le bout des doigts, abaissez-la en tirant les grands dorsaux vers le bas.

➔ Position 2
Laissez la barre regagner sa position initiale. Sentez le mouvement qui se fait seulement dans les grands dorsaux et gardez les épaules immobiles.

Étirer le haut du torse

Voici la version studio de l'exercice des pages 122-123. Essayez d'étirer le haut du corps sans provoquer de tension dans les épaules et, dans la deuxième position, gardez les bras en contact avec le matelas aussi longtemps que possible pour relâcher l'articulation de l'épaule et libérer le dos. La position d'allongement sur le dos n'en est que plus agréable.

↻ Position 1
Étendez-vous sur le dos, les genoux repliés et la colonne vertébrale bien à plat sur le matelas. Étirez les bras pour tenir la barre, sans tension. Inspirez et, en expirant, rentrez bien le nombril vers la colonne. Puis commencez à tirer la barre vers vous.

↻ Position 2
Lorsque la partie supérieure des bras atteint le matelas, commencez à tourner les coudes de façon à éloigner la barre. Gardez la partie supérieure des bras en contact avec le matelas le plus longtemps possible. Lorsque ce n'est plus possible, expirez et étirez les bras derrière la tête, en gardant toujours la colonne bien à plat sur le matelas. Inspirez, expirez et revenez à la position de départ.

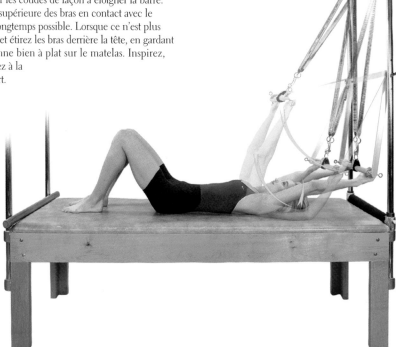

Les bras et le haut du corps

Les exercices qui suivent sont tous très simples et se déroulent lentement. Les exercices du haut du torse sollicitent les grands dorsaux et le trapèze. Les exercices des bras sont semblables à ceux des pages 74-75, mais comme le corps est surélevé sur un appareil qu'on appelle le baril, les bras ont une plus grande capacité d'étirement.

HAUT DU TORSE

☊ Position 1

Assis très droit sur une petite boîte, les jambes étendues et croisées aux chevilles, posez l'extrémité des doigts légèrement sur la barre. La tête devrait être alignée avec la colonne, celle-ci bien allongée et bien droite, et il ne devrait y avoir aucune tension dans tout le corps.

☊ Position 2

Inspirez et, en expirant, tirez la barre très lentement vers le bas. Vous devez sentir votre poitrine se dégager, votre cou s'allonger et votre tête se dresser en se tournant vers l'épaule gauche. Revenez au centre et refaites le mouvement en alternant à droite et à gauche.

EXERCICE DES TRICEPS

Les triceps sont des muscles situés à l'arrière du haut des bras. Cet exercice fait des merveilles pour renforcer le haut des bras flasques !

↻ Position 1

Étendez-vous le dos bien à plat sur le baril, les genoux repliés. Assurez-vous que le bas de votre dos n'est pas arqué. Saisissez l'haltère à deux mains de façon à pouvoir la rabattre vers la poitrine.

↻ Position 2

Inspirez et, en expirant, rentrez le nombril vers la colonne. D'un seul mouvement en douceur, levez l'haltère au-dessus de la tête aussi haut que possible. Inspirez et revenez à la position de départ.

OUVERTURE DES BRAS

Ici, vous prendrez deux haltères pesant jusqu'à 1 kg chacun. Non seulement cet exercice tonifie les muscles des bras, mais il dégage le dos et la poitrine et détend les articulations des épaules.

➲ Position 1

Étendez-vous sur le baril, les genoux repliés, la colonne bien à plat ; les bras forment une large courbe et les mains se rejoignent au-dessus de la poitrine. Faites comme si vous teniez un ballon de plage dans les bras.

➲ Position 2

Inspirez et, en expirant, rentrez le nombril vers la colonne. Ouvrez les bras vers l'extérieur, tout en maintenant la courbe. Revenez à la position de départ.

UTILISER DES HALTÈRES

Les exercices décrits ici se rapportent directement à ceux du chapitre quatre. Tous les exercices des bras présentés plus loin commencent sans haltères, parce que vous les ajouterez seulement lorsque vous aurez acquis une certaine force. Vous pouvez remplacer les haltères par des boîtes de conserve. De toute façon, travailler ou s'entraîner à l'aide de toutes sortes de poids est toujours bénéfique. Travailler avec des haltères peut prévenir l'ostéoporose chez les femmes ménopausées et post-ménopausées. Utilisez des haltères pesant jusqu'à 1 kg.

ÉTIREMENTS LATÉRAUX

Voici un exercice complexe qui requiert une bonne
attention à sa posture. Il étire les deux côtés du
corps à tour de rôle et produit une impression de
grâce, comme un mouvement de danse. De nouveau,
on se sert d'une boîte posée sur l'appareil à pliés.
La position sera maintenue à l'aide
d'un pied glissé dans la courroie et d'une grande maîtrise
de son corps.

➲ Position 1

Assoyez-vous sur la boîte, le
pied droit glissé sous la courroie, la jambe gauche repliée
et appuyée sur la boîte. Le dos
devrait être très droit, la tête
haute, alignée avec la colonne
vertébrale. Le bras droit est
levé en une courbe gracieuse
et le bras gauche est recourbé
devant le corps.

☾ Position 2

Inspirez profondément et, en
expirant, rentrez le nombril
vers la colonne en vous penchant doucement vers la gauche. Les bras et les jambes doivent rester dans la position initiale par rapport au corps.

➲ Position 3

Maintenant, inversez les bras
en redressant le bras gauche et
en rabattant le droit, les deux
s'incurvant gracieusement.

↻ Position 4

Redressez le corps en un mouvement souple qui vous ramènera à la position de départ, tout en gardant les bras dans la troisième position.

➲ Position 5

Inspirez de nouveau et, en expirant, penchez-vous de l'autre côté, de façon que le bras gauche s'incline vers le bas en direction du pied droit. Maintenez le nombril bien rentré.

↻ Position 6

Revenez en position droite et vérifiez l'alignement. Alternez la position des bras, récupérez un moment et préparez-vous à répéter l'exercice entier.

Pliés

Les pliés sont des exercices fondamentaux en ballet. Ce sont plus que de simples flexions des genoux. Bien exécutés, ils font travailler la plupart des parties du corps. En raison de leur complexité, on ne les intègre au programme d'exercices chez soi qu'au niveau 3 (pages 130-131). À cette étape, vous aurez une meilleure connaissance de votre corps et pourrez en faire travailler plusieurs parties en même temps. En studio, l'appareil à pliés est d'une grande utilité.

D'abord, vous êtes couché, la colonne bien droite, ce qui diminue les risques de mauvaises postures et de blessures. Ensuite, l'effort contre les ressorts permet de prendre conscience des muscles abdominaux et de ceux des jambes et des fesses que vous devez solliciter. Comme vous pouvez ajouter jusqu'à quatre ressorts pour augmenter la résistance, vous pouvez vous entraîner plus intensément et vos muscles se tonifieront plus rapidement.

PLIÉS EN PREMIÈRE POSITION
↻ Position 1
Pour commencer, installez le matelas de l'appareil à pliés près de l'appui-pieds. Posez vos pieds de façon que vos orteils reposent sur l'appui-pieds ; joignez les talons et ouvrez les pieds en formant un V. Cette position des pieds dite « en canard » implique que les jambes adoptent une position similaire. Sans exagérer, les genoux devraient être tournés légèrement vers l'extérieur et les jambes être ouvertes en V en partant des hanches. Assurez-vous que le dos et le cou sont bien alignés et que les bras et les épaules sont détendus, de chaque côté du corps.

♠ Position 2

Inspirez, expirez, rentrez le nombril vers la colonne. Poussez sur l'appui-pieds jusqu'à ce que les jambes soient droites. En poussant, sentez fortement la torsion dans les cuisses et les fesses. Vos muscles agissent comme s'ils s'enroulaient; imaginez l'intérieur de votre cuisse essayant de se retourner. Inspirez et revenez à la position initiale.

PLIÉS EN DEUXIÈME POSITION

➲ Position 1

Cette fois, posez vos pieds de façon que vos talons touchent aux extrémités de l'appui-pieds. Les genoux ouverts sur les côtés, vous devriez percevoir une ouverture aux articulations des hanches. Vérifiez l'alignement de la colonne avant de passer à l'étape suivante.

↩ Position 2

Inspirez et, en expirant, rentrez le nombril vers la colonne. Poussez sur l'appui-pieds jusqu'à ce que les jambes soient droites. Prenez conscience de la torsion. Inspirez pour revenir à la première position. Efforcez-vous de répéter l'exercice 10 fois dans chaque position.

Chapitre quatre

Le programme Pilates

Ce programme constitue le moyen le plus sûr et le plus complet d'obtenir la forme que vous avez toujours désirée. En quelques semaines, votre apparence et votre bien-être seront meilleurs et, au terme du programme, vous présenterez la silhouette élancée, robuste et mince d'un danseur.

La règle d'or du programme est la suivante : ne précipitez rien. Échauffez-vous bien avant chaque exercice, vous conditionnerez ainsi la mémoire de votre corps à mobiliser chaque fois les muscles appropriés. Résistez à la tentation de passer à l'exercice suivant tant que vous n'aurez pas maîtrisé le précédent, car vous pourriez forcer vos muscles et vos articulations. À chaque niveau, les exercices visent à renforcer le corps dans son ensemble, de façon intégrée. Prévoyez trois séances par semaine dans un environnement tranquille. Vous verrez votre corps changer et vous en réjouirez.

L'échauffement

L'échauffement Pilates est très différent des autres types d'échauffement. Comme les exercices Pilates sont très minutieux, il est essentiel de vous assurer que vous bougez correctement et que l'échauffement vous permet de localiser, d'isoler et de développer toutes les parties concernées.

Ce sont les mêmes exercices aux trois niveaux, parce qu'ils mobilisent les mêmes muscles, même si les degrés de difficulté et de complexité varient. Il y a cependant une autre raison qui justifie la répétition de ces exercices.

Comme tout danseur le sait fort bien, le corps, tout comme l'esprit, possède sa propre mémoire. La répétition préalable de certains mouvements est bénéfique non seulement au cours de la session d'exercices, mais aussi pour tous les gestes de la vie quotidienne.

Paroles de sagesse

« Ces exercices apporteront l'équilibre et la grâce dans vos activités quotidiennes s'ils sont pratiqués correctement et maîtrisés au point de susciter des réactions inconscientes. »
Joseph Pilates

CE QU'IL VOUS FAUT

Essentiel

- *Des vêtements confortables*
- *Un tapis moelleux, une serviette ou un matelas de yoga pour vous allonger*
- *Un grand foulard*
- *Une serviette de grandeur moyenne*
- *Des coussins durs de grandeurs variées*
- *Une chaise ou un tabouret (les genoux doivent pouvoir se replier à 90° lorsque vous êtes assis)*
- *Une surface plane solide, comme une table ou une porte, qui pourra supporter votre poids*

En plus

- *Des haltères à main de 1 kg ou des poids similaires (boîtes de conserve)*
- *Des poids de 1 kg qui se fixent aux pieds*
- *Un bâton léger ou un manche à balai*

RESPIRATION

Cet exercice est fondamental, même s'il semble dépourvu d'effet. Une respiration profonde et bien rythmée est importante pour tous les exercices. Une musique classique douce peut vous aider à trouver le rythme de la respiration. Et vous pouvez régler la cadence des exercices sur le rythme de votre respiration.

↻ Position 1

Étendez-vous sur le dos, les pieds appuyés sur une chaise et les genoux repliés à angle droit. Évitez toute tension dans le cou et les épaules. Posez un traversin ou une serviette roulée entre vos genoux. Glissez un livre sous votre tête et joignez les mains délicatement, à la hauteur des abdominaux.

↻ Position 2

Maintenant, respirez très lentement et profondément. Chaque respiration doit atteindre la région abdominale, ce qui fait monter et descendre les mains. Essayez d'adopter un rythme lent et constant. C'est ainsi que vous devrez respirer durant les exercices. Répétez 10 fois cet exercice respiratoire.

LA PELLE

C'est la suite de l'exercice précédent qui transforme la respiration en mouvement.

↻ Étendez-vous sur le sol, la colonne allongée, le bas du dos touchant au sol, le cou et les épaules bien détendus. Posez un traversin ou une serviette roulée entre vos genoux.

Inspirez et, en expirant, rentrez le nombril vers la colonne. Puis contractez les muscles du bas des fesses afin que les abdominaux prennent la forme d'une pelle. Répétez 10 fois, en essayant d'accentuer la forme de la pelle chaque fois.

LA PELLE

La pelle est à la base de tous les exercices de bascule du pelvis. C'est une technique qui permet de bien sentir tous les muscles de cette région. Plus vous pourrez engager les muscles abdominaux, mieux ce sera, car ces muscles rejoignent presque la région pelvienne et peuvent prendre la forme d'une pelle.

LE FOULARD

Voici un autre exercice utile pour réussir à respirer correctement. Gardez le foulard fermement en place, mais non serré, pendant tout l'exercice ; il vous aidera à vous concentrer sur votre respiration.

➲ Position 1

Restez debout ou assoyez-vous sur une chaise ou un tabouret de façon que vos genoux forment un angle droit lorsque vos pieds sont à plat sur le sol. Les orteils devraient pointer droit devant. Enroulez un foulard autour de la partie supérieure du torse, de façon à couvrir toute la largeur des côtes. Croisez-le à l'avant et tenez une extrémité dans chaque main.

↻ Position 2

Inspirez profondément et remplissez bien vos poumons d'air tout en gardant les grands dorsaux tirés vers le bas du dos. Le foulard vous aidera à sentir l'expansion des poumons, aussi bien à l'arrière qu'à l'avant, si vous respirez adéquatement.

➲ Position 3

Expirez et sentez vos poumons se vider, en gardant le foulard fermement en place. Répétez pendant 10 respirations, en essayant de gonfler les poumons un peu plus chaque fois.

LE DÔME

La plupart des gens se servent à peine des muscles de leurs pieds, ce qui produit souvent une certaine rigidité. Cet exercice montre comment libérer les pieds «gelés»; pensez à un chat qui rétracte ses griffes et vous comprendrez! C'est aussi un bon exercice qui permettra de travailler les pieds correctement après une blessure. Pratiquez-le pieds nus.

○ Position 1

Assis sur une chaise, repliez les genoux à angle droit et posez les pieds à plat sur le sol, avec un écart équivalant à la largeur des hanches.

○ Position 2

Contractez les orteils contre le sol de façon que l'arche soit soulevée, mais que le talon reste collé au sol. Ne vous attendez pas à un grand mouvement, surtout au début. Ne laissez pas les orteils se courber par-dessous. Maintenez la position quelques secondes avant de redresser les orteils et de revenir à la position de départ. Répétez 10 fois.

MASSAGE DU PIED

Après avoir fait le dôme, vous pouvez vous masser les pieds. Le massage favorise la détente, surtout si vous êtes sujet aux crampes. Commencez en massant doucement tout le pied. Puis, appliquez une pression plus ferme et circulaire, avec le pouce, sur toute la plante. Enfin, appliquez la même pression sur le dessus du pied entre chaque orteil. Dégagez chaque orteil de sa base, en l'étirant doucement et soigneusement.

Relâcher le dos et le cou

Les deux exercices qui suivent visent à relâcher la tension accumulée dans le dos et le cou. Ces points sont souvent une source de problèmes ou de douleurs, mais la plupart des gens ne sont pas conscients de la tension qui s'y trouve. Lorsque vous aurez réussi à libérer le dos et le cou, votre posture s'améliorera instantanément.

GENOUX SUR LA POITRINE
Vous sentirez les vertèbres inférieures se dégager en faisant cet exercice.

↻ Position 1
Étendu sur le dos, constatez que toute la colonne touche au sol. Repliez et levez les genoux, en les gardant légèrement écartés, alignés avec les hanches. Rentrez le nombril doucement et maintenez cette position pendant tout l'exercice. Placez les mains en bas des genoux, et non au-dessus.

↪ Position 2
Inspirez et, en expirant, ramenez doucement les genoux sur la poitrine, en gardant les bras écartés. Assurez-vous que la colonne vertébrale reste au sol. Sentez le dos et la poitrine se dégager dans cette position.

↻ Position 3
Inspirez et, pendant l'expiration suivante, tirez la jambe droite vers la poitrine. Relâchez et, pendant l'expiration suivante, tirez la jambe gauche vers la poitrine. Répétez 10 fois dans la même séquence : droite, gauche, puis les genoux ensemble.

ROULEMENT DES HANCHES — NIVEAU DÉBUTANTS

C'est le premier des roulements des hanches, vous en trouverez d'autres versions plus loin. À cette première étape, concentrez-vous sur la détente du bas du dos et la sensation d'étirement dans l'abdomen.

> **IMPORTANT**
>
> - *N'essayez pas de forcer les genoux à descendre vers le sol, car le dos et les fesses vont se relever.*
> - *Gardez toujours les genoux bien alignés.*
> - *Roulez vers le côté, sans torsion.*

➲ Position 1

Couchez-vous sur le dos, les genoux repliés pointant vers le plafond, les pieds joints. Posez les mains sur les abdominaux pour bien les sentir s'étirer. Gardez le dos et le cou bien étendus et détendus.

↻ Position 2

Inspirez et, en expirant, roulez les genoux d'un côté, en gardant les fesses bien au sol et les genoux joints. Vous ne pourrez pas aller très loin, mais vous sentirez quand même un bon étirement dans les abdominaux.

➲ Position 3

Inspirez pour revenir au centre et vérifiez la position. Expirez et répétez le mouvement de l'autre côté. Alternez, 10 roulements de chaque côté.

Relâcher le haut du corps

Ces exercices sont excellents pour toute personne qui a tendance à accumuler de la tension dans les épaules, le cou ou le dos. Ils relâchent le haut du corps et aident les grands dorsaux à travailler adéquatement. Rappelons que ce sont les muscles à mobiliser pour amorcer les mouvements des bras, plutôt que les épaules.

HAUSSEMENTS D'ÉPAULES
Dans cet exercice, vous pouvez hausser les épaules plutôt que de les repousser vers le dos.

➲ Position 1
Assoyez-vous sur une chaise en face d'un miroir, les pieds reposant à plat sur le sol et regardez droit devant vous. Si vous avez un traversin, posez-le entre vos genoux pour aider à immobiliser le pelvis. Laissez les bras pendre de façon détendue de chaque côté.

↺ Position 2
Maintenant, inspirez et haussez les épaules vers les oreilles.

➲ Position 3
En expirant, rabaissez les épaules et étirez doucement les mains vers le sol. Faites une rotation des bras vers l'intérieur, puis étirez-les derrière vous, mais pas trop loin. Si vous l'exécutez bien, ce mouvement dégagera la poitrine et renforcera les muscles sous les clavicules. Répétez 10 fois.

En repoussant les bras vers l'arrière, sentez les grands dorsaux s'étirer vers le bas en se contractant ensemble.

TRACER UN 8 AVEC LE NEZ

Le mouvement que cet exercice exige est si minime que c'est comme si rien ne se passait; mais en réalité, il faut une bonne dose de concentration pour l'exécuter. Alors que votre esprit est absorbé par le contrôle du mouvement, l'arrière du cou se détend sans que vous le remarquiez.

↻ Position 1

Étendez-vous sur le dos, la colonne bien étirée le long du sol et les genoux pliés. Posez les bras de chaque côté, rentrez le nombril doucement et contractez le bas des muscles fessiers. Tenez cette position pendant tout l'exercice.

↪ Position 2

Portez toute votre attention sur le bout de votre nez et faites-lui tracer un huit imaginaire. C'est un mouvement discret, dans lequel la tête ne doit pas tourner d'un côté à l'autre. Répétez ce mouvement 10 fois dans une direction, puis changez de côté et faites 10 tracés de plus. Vous aurez peut-être plus de facilité à vous concentrer en fermant les yeux.

ÉTIREMENTS LATÉRAUX — NIVEAU DÉBUTANTS

C'est le premier de deux exercices d'étirement latéraux. Celui-ci se concentre sur la partie qui va de la taille aux coudes. Le deuxième, que vous exécuterez debout, prolonge l'étirement vers le bas le long des hanches.

➲ Positions 2 et 3

Inspirez profondément et, en expirant, tournez la tête vers la droite en étirant doucement le côté gauche, le coude d'abord pointant vers le plafond, puis plongeant vers le sol en effectuant une grande courbe. Inspirez pour revenir à la position de départ. Répétez 10 fois de chaque côté.

 Position 1

Assoyez-vous sur une chaise droite, le flanc gauche contre le dossier. Posez la main droite sur le dossier, en croisant le bras devant vous. Posez la main gauche derrière la tête. Assurez-vous que votre corps est bien droit et regardez devant vous, les genoux écartés en ligne avec les hanches et les orteils pointés vers l'avant.

ÉTIREMENTS LATÉRAUX — NIVEAU ÉLÉMENTAIRE

Dans ce second exercice d'étirement latéral, vous vous étirerez plus complètement. Plus grande sera la distance entre vous et l'appui, plus loin vous pourrez vous étirer.

➲ Position 1

Placez-vous debout, à environ 30 cm d'une chaise ou d'un cadre de porte. Vos pieds sont écartés, vos épaules basses, il n'y a aucune tension dans le haut de votre corps. Posez une main sur la chaise ou le cadre de porte

↻↺ Position 2

Inspirez et, en expirant, étirez-vous en vous éloignant de la chaise et en exécutant un grand cercle avec le bras opposé jusqu'à ce que la main atteigne le dessus de la tête. Sentez l'étirement tout le long du côté. Revenez à la position de départ et répétez 10 fois de chaque côté.

POINTS À SURVEILLER

- *Gardez les pieds légèrement écartés et à plat sur le sol tout au long de l'exercice.*
- *Il ne devrait y avoir aucune torsion du corps; les hanches doivent rester en position de face pendant tout l'exercice.*
- *Gardez le haut du corps libre de tension; les bras, les épaules et le cou devraient rester bien dégagés.*

Le programme Pilates : niveau 1

Le niveau 1 est sans aucun doute l'étape la plus importante du programme Pilates. C'est d'abord à ce stade que vous apprendrez à vous servir correctement de votre corps. De plus, vous apprendrez à maîtriser une nouvelle façon de bouger indispensable pour réaliser tous les exercices des niveaux suivants.

C'est pour cette raison qu'il n'y a aucune nécessité de vous hâter. En apprenant à faire bouger chaque partie de votre corps avec précision, vous tonifierez et renforcerez vos muscles, tout en améliorant votre posture.

Dès le début, prenez l'habitude de faire coïncider vos séances d'exercices avec des moments calmes. Débranchez le téléphone ou branchez le répondeur. Choisissez un endroit chaleureux et confortable, mettez de la musique douce, classique, qui vous aidera à ralentir le rythme. Rappelez-vous que les exercices doivent être effectués sur un rythme très lent.

Paroles de sagesse

« Pratiquez vos exercices régulièrement pendant seulement trois mois et vous constaterez que le développement de votre corps a presque atteint l'idéal. »
JOSEPH PILATES

Vos objectifs pour le niveau 1

- *Par-dessus tout, concentrez-vous sur l'alignement des différentes parties de votre corps et la posture.*

- *Si vous croyez que vous n'êtes pas placé correctement debout ou assis ou que vous sentez des muscles se tendre, répétez les exercices posturaux des pages 20 à 28, jusqu'à ce que vous soyez certain d'être en bonne position.*

- *Ne faites aucun exercice précipitamment, même s'il vous semble facile.*

- *Concentrez-vous plutôt sur la précision et la maîtrise de chaque exercice.*

- *Soyez conscient de tout votre corps, ne laissez aucune de ses parties prendre le dessus.*

- *Vérifiez toujours que tout votre corps est en bonne position, détendu et allongé.*

- *Concentrez-vous sur la respiration, qui devrait être profonde, lente et rythmée ; rappelez-vous que tous les efforts doivent être effectués à l'expiration.*

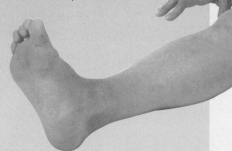

Relâcher le haut du corps

Ces exercices portent sur la posture. La partie supérieure du corps est une des trois parties fondamentales que la méthode Pilates vise à fortifier (les autres sont les muscles abdominaux et les fessiers). Les exercices mobilisent les grands dorsaux et le trapèze, c'est-à-dire les muscles du dos. Ceux-ci devraient être à la source de tous les mouvements des bras, plutôt que les épaules. Au fur et à mesure que les grands dorsaux et le trapèze se renforceront, votre posture s'améliorera naturellement, vos épaules retomberont et seront plus détendues, votre poitrine et votre cage thoracique se dégageront, votre cou et votre tête se tiendront bien droits, sans tension.

DÉGAGEMENT — NIVEAU DÉBUTANTS

Gardez la partie supérieure des bras collée au corps afin de ressentir la merveilleuse sensation de dégagement et de détente que cet exercice procure.

↻ Position 2

Inspirez et ramenez les paumes sur les côtés, dans un mouvement de demi-cercle. En expirant, revenez à la position de départ, les doigts pointés vers l'avant. Répétez 10 fois.

⤳ Position 1

Assoyez-vous sur une chaise ou sur un support à une hauteur qui vous permettra de garder les genoux repliés à un angle de 90 °. Les pieds reposent à plat sur le sol, avec un écart équivalent à la largeur des hanches, les orteils pointant vers l'avant. Évitez toute tension dans le cou et les épaules. En maintenant le haut des bras fermement collé au corps, repliez les coudes à 90 ° les paumes tournées vers le haut.

DÉGAGEMENT — NIVEAU ÉLÉMENTAIRE

Pour cet exercice, imaginez que vos bras transportent le souffle de votre respiration.

⮑ Position 1
Assoyez-vous dans la même position qu'à l'exercice précédent. Cette fois, les paumes sont tournées vers le bas.

⮑ Position 2
Inspirez et ramenez les bras vers les côtés, dans un mouvement similaire au précédent.

Lorsque la rotation les aura conduits aussi loin que possible, écartez-les du corps, les mains vers l'extérieur; ainsi, le haut des bras se dégage légèrement du corps.

Expirez pour revenir à la position de départ. Répétez 10 fois.

Renforcer le dos

En studio, on utilise la résistance de ressorts pour aider à isoler les muscles autour des épaules, ce qui permet de les mobiliser plus efficacement. Vous pouvez effectuer les mêmes exercices à la maison sans équipement. Vous devez sentir le mouvement dans le dos d'abord ; étirez les muscles vers le bas avant de commencer à bouger le bras. Voici le premier des exercices pour la partie supérieure du dos.

RELÂCHEMENT DE LA PARTIE SUPÉRIEURE DU DOS — NIVEAU DÉBUTANTS

C'est un petit mouvement. Faites-le lentement et précisément pour obtenir un effet maximal.

◠ Position 1

Assoyez-vous sur une chaise ou un tabouret près du mur, les pieds reposant fermement sur le sol et les genoux pliés à angle droit. Repliez le bras au coude pour former un angle droit et posez le dos de la main et l'avant-bras à plat contre le mur.

↻ Position 2

Inspirez et, en expirant, rentrez le nombril vers la colonne. Étirez les omoplates vers le bas. Laissez ce mouvement des omoplates tirer le bras vers le bas, en gardant ce dernier appuyé contre le mur. Le déplacement ne couvre que quelques centimètres, mais vous devriez constater que les muscles travaillent profondément dans le dos. Inspirez pour revenir à la position de départ et répétez 10 fois de chaque côté.

LE COSAQUE

Cet exercice a été présenté dans la période d'auto-évaluation, à la page 26. Maintenant vous l'exécuterez
assis. Au cours des mouvements décrits, vous devrez
bien rentrer votre nombril et garder votre dos droit ;
vos épaules et votre cou devront être détendus. Le
mouvement commence en étirant les grands dorsaux
vers le bas ; vous devriez sentir vos épaules retomber
lorsque vous remuez.

POINTS À SURVEILLER

- *Assurez-vous que vos épaules restent baissées à la même hauteur chaque fois que vous retournez au centre.*
- *Gardez les pieds fermement sur le sol.*
- *Assurez-vous que vos mains restent relâchées en permanence.*
- *Ne laissez pas vos hanches pivoter lorsque vous effectuez le mouvement.*
- *Évitez toute tension dans le cou.*

↻ Position 1

Assoyez-vous sur un tabouret, les pieds
à plat sur le sol, les orteils pointant
vers l'avant. Repliez les bras sans forcer, à la hauteur du sternum. Ne les
serrez pas et évitez toute tension. Les
hanches doivent être orientées vers
l'avant et demeurer dans cette position
tout au long de l'exercice. Rentrez
bien le nombril durant tout l'exercice.
Étirez les grands dorsaux vers le bas.

↻ Position 2

Inspirez profondément et, en
expirant, commencez à pivoter à partir de la taille, mais
gardez les hanches en position de face. Faites pivoter le
haut du dos, puis la tête.

Inspirez et revenez à la
position de départ. En expirant, pivotez de l'autre côté,
puis répétez 10 fois de chaque côté, dans un mouve-
ment lent et continu.

Isoler les abdominaux

Ce premier exercice est le même que celui qui vous a servi à évaluer votre posture. On le propose ici comme exercice d'introduction à une série d'autres destinés à déclencher toutes les bascules du pelvis.

BASCULES DU PELVIS —
NIVEAU DÉBUTANTS — AMORCE

Vous pouvez utiliser cet exercice pour vous aider à isoler les muscles abdominaux.

➲ Position 1
Étendez-vous sur le dos, les pieds surélevés sur une boîte ou le siège d'une chaise, de façon que les genoux forment un angle droit. Posez un coussin entre vos cuisses, non pas pour le presser, mais pour garder le pelvis centré durant l'exercice.

➲ Position 2
Inspirez profondément et, en expirant, rentrez le nombril vers la colonne tout en sentant celle-ci s'aplatir sur le sol. Simultanément, contractez les muscles à la base des fesses, mais essayez de ne pas contracter les ischio-jambiers dans les cuisses. Gardez le dos sur le sol. Inspirez et revenez à la position de départ. Répétez cet exercice 10 fois.

POINTS À SURVEILLER

- *Veillez à respirer correctement, car la respiration est un élément essentiel de cet exercice.*

- *Sachez que les muscles abdominaux aident à courber la colonne. Idéalement, votre dos devrait devenir aussi sinueux qu'un serpent !*

- *Ne laissez aucune tension s'installer dans les épaules, la poitrine ou le cou. Si vous ressentez une tension dans ces régions, c'est que votre dos se soulève.*

- *Commencez toujours en rentrant le nombril et en contractant les muscles fessiers les plus bas pendant un moment.*

- *Les exercices de bascule du pelvis sont plus efficaces lorsque vous les faites très lentement.*

BASCULES DU PELVIS — NIVEAU ÉLÉMENTAIRE — ROULADE VERS LE HAUT

Entreprenez cet exercice seulement lorsque vous aurez situé exactement les muscles à mobiliser et commencez toujours par la première étape pour vous le rappeler. N'essayez pas de monter trop haut à cette étape. La maîtrise du mouvement est plus importante que la hauteur atteinte.

↺ Position 1

Étendez-vous dans la même position qu'à l'exercice précédent. Inspirez profondément et, en expirant, rentrez le nombril et contractez les muscles fessiers les plus bas.

↺ Position 2

Cette fois, maintenez la contraction des muscles de façon à soulever le corps. Resserrez l'intérieur des cuisses et soulevez le bassin puis la colonne, vertèbre par vertèbre, dans un mouvement qui trace un arc. Au point le plus haut, inspirez et déroulez lentement. Répétez 10 fois.

Renforcer les abdominaux

Les redressements exigent beaucoup de force des muscles abdominaux, afin de ne pas imposer d'effort au dos. Malheureusement, plusieurs programmes d'entraînement proposent des exercices de redressement, souvent à répétition, mais n'indiquent pas comment les effectuer sans risque de blessures au dos, mettant plutôt l'accent sur la hauteur à atteindre. Lorsqu'un redressement est bien fait, en raison d'une bonne maîtrise des abdominaux, la hauteur atteinte n'est pas très élevée, mais les abdominaux apparaissent creusés plutôt qu'en saillie.

POINTS À SURVEILLER

- *N'espérez pas soulever les épaules dès le départ. Avec le temps, vous serez capable de détacher les grands dorsaux du sol, mais il est plus important à ce stade de faire travailler seulement les abdominaux pour éviter tout effort au dos.*

- *Si vous sentez une tension dans le dos, arrêtez.*

- *Ne plongez pas le menton dans la poitrine. Le corps doit se soulever dans un mouvement arqué régulier.*

REDRESSEMENTS — NIVEAU DÉBUTANTS
➲ **Position 1**
Couchez-vous sur le dos, les genoux relevés, un coussinet ou un livre sous la tête et les épaules. Posez un coussin entre vos genoux, pas pour le presser durant l'exercice, mais tout simplement pour stabiliser le pelvis et garder les hanches bien centrées. Le haut du corps devrait être dégagé et détendu ; vérifiez la tension avant de commencer. Posez les mains sur le dessus des cuisses.

↻ **Position 2**
Inspirez et, en expirant, rentrez le nombril et contractez le bas des muscles fessiers. Maintenant, faites marcher vos doigts lentement sur les cuisses vers les genoux, en déroulant la tête et les épaules pour accompagner le mouvement des mains. Gardez le nombril bien rentré. S'il ressort, c'est que vous avez déroulé trop loin.

➲ **Position 3**
Au point le plus haut, inspirez et, en expirant, contractez les muscles du ventre et reposez graduellement la tête et les épaules sur le sol, en faisant glisser les doigts sur les cuisses.

↻ **Position 4**
Lorsque vous êtes de nouveau en position de départ, inspirez profondément et reposez-vous. Faites 10 répétitions.

REDRESSEMENTS LATÉRAUX — NIVEAU DÉBUTANTS

Les redressements latéraux font travailler les muscles abdominaux obliques, qui sont aussi importants que ceux du devant. Dans ce premier exercice, ne vous attendez pas à vous soulever très haut. Concentrez-vous sur les abdominaux obliques.

↻ Position 1

Étendez-vous sur le dos, les genoux relevés et séparés par un coussin, comme dans l'exercice précédent. Gardez les pieds à plat sur le sol et posez la main gauche derrière la tête. Le bras droit reste à plat sur le sol, le long du corps, la paume de la main tournée vers le sol.

↺ Position 2

Inspirez et, en expirant, rentrez le nombril et contractez les muscles à la base des fesses. À l'aide de la main gauche qui maintient la tête soulevée, inclinez-vous en diagonale en orientant le coude et l'épaule gauches vers le genou droit. En même temps, étirez la main droite vers les pieds.

⮑ Position 3

Inspirez et, en expirant, revenez à la position de départ. Faites jusqu'à 10 redressements de chaque côté.

Renforcer la «génératrice»

Voici le premier d'une série d'exercices visant à renforcer les muscles abdominaux et à corriger l'alignement du pelvis et de la colonne. La vigueur de la «génératrice» du corps est essentielle à une bonne posture et à la force du corps en général. C'est aussi une protection vitale pour le dos. Des muscles abdominaux faibles et un alignement défectueux provoqueront inévitablement une pression sur le dos, ce qui est propice aux blessures.

Une respiration correcte contribue à renforcer et à protéger les muscles du dos. Même si vous avez le réflexe naturel de rentrer le ventre en inspirant — plusieurs personnes ont cette tendance en essayant de se tenir droit — vous devriez faire le contraire. Alors, en expirant, rentrez les muscles abdominaux et faites l'effort du mouvement.

RESSERREMENT DES FESSIERS
Cet exercice est très bon pour localiser et commencer à utiliser la partie inférieure de la «génératrice». Vous commencerez ainsi à développer une emprise sur vos abdominaux et les muscles à la base de vos fesses.

POINTS À SURVEILLER

- *Ne laissez pas le bas du dos se creuser lorsque vous serrez le coussin; gardez le nombril bien rentré.*
- *Le haut du corps devrait être bien dégagé; évitez toute tension dans le cou et les épaules.*
- *Le bas des jambes et les pieds devraient être relâchés; ce sont les muscles du bas des fesses qui font le travail.*

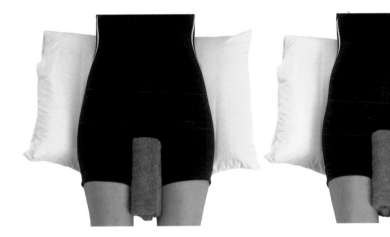

☊ Position 1

Couchez-vous visage contre terre, un oreiller sous l'abdomen et un petit coussin entre les cuisses. Vous pouvez vous étendre sur le sol ou, idéalement, sur un lit rigide, les pieds pendant à l'extrémité. Posez la tête sur vos mains, tournée sur un côté si vous préférez. Inspirez.

☊ Position 2

En expirant, rentrez le nombril vers la colonne et, en même temps, serrez le coussin entre vos cuisses, à l'aide des muscles à la base des fesses. Ne faites pas travailler les ischio-jambiers ni les autres muscles des fesses. Essayez seulement d'isoler le groupe musculaire de la base des fesses. Relâchez et répétez 10 fois.

↻ Position de repos

Après avoir contracté les fessiers, cette position de repos est excellente pour relâcher toute tension qui en découlerait.

À partir de la position de l'exercice précédent, tirez le corps vers l'arrière jusqu'à ce que les fesses soient assises sur les talons. La première fois, il se peut que vous n'atteigniez pas les talons, mais allez aussi loin que possible. Laissez les bras étendus et percevez l'étirement tout le long du dos. Gardez cette position environ deux minutes en imaginant votre dos comme un tissu au repassage.

UN PLUS GRAND ÉTIREMENT

Lorsque vous serez plus détendu, vous pourrez vous asseoir sur vos talons. Pour vous aider, demandez à un ami de poser une main dans le haut du dos et l'autre dans le bas et de pousser en sens opposé. L'étirement est plus grand et fait vraiment du bien!

Tonifier les jambes

Ces exercices sont les premiers d'une série qui vise à étirer et à renforcer les muscles des jambes, à partir des fesses jusqu'aux pieds. L'alignement du corps est déterminant pour que les jambes travaillent de la bonne façon. Vous effectuerez plusieurs de ces exercices couché sur le côté, le dos appuyé au mur, en vous assurant que vos épaules et vos hanches restent droites. Il est primordial que vos jambes soient en bonne position avant de commencer ces exercices. Si vous disposez d'un miroir, vérifiez qu'elles sont parallèles ou tournées vers l'extérieur.

> ## UN DOS PLAT
>
> *Dans cet exercice, il est très important de garder le dos bien à plat contre le mur, les hanches vers l'avant. Cette position permet de garder les jambes bien parallèles.*

EXTÉRIEUR DES CUISSES — NIVEAU DÉBUTANTS

Cet exercice dessine un creux sur la face extérieure des cuisses ; c'est un résultat préférable au renflement trop souvent constaté !

➲ Position 1

Couchez-vous sur le côté, le dos bien appuyé au mur. Étendez le bras en contact avec le sol et posez un oreiller ou une serviette pliée entre ce bras et votre tête. Il est également recommandé de poser un petit coussin ou une serviette pliée sous la taille, ce qui permet d'assurer un meilleur support et d'empêcher la taille de s'affaisser. Repliez la jambe du dessous et posez la jambe du dessus sur un gros coussin dur. Fléchissez le pied de la jambe du dessus et posez la main droite sur la hanche pour stabiliser le pelvis.

↻ Position 2

Inspirez profondément et, en expirant, rentrez le nombril vers la colonne. Puis étirez les grands dorsaux vers le bas du dos. La taille s'étire, ce qui permet de lever lentement la jambe du dessus tandis que la hanche, le genou et le pied restent tournés vers l'avant. C'est d'abord et avant tout un étirement, mais il est si prononcé qu'il correspond à un soulèvement de la jambe. Redescendez et répétez 10 fois avec chaque jambe.

INTÉRIEUR DES CUISSES — NIVEAU DÉBUTANTS

Les muscles de l'intérieur des cuisses sont souvent complètement oubliés. Cet exercice contribuera à les localiser et à les fortifier.

∩ Position 1

Assoyez-vous droit contre un mur, les jambes largement ouvertes en V, les pieds fléchis, mais sans effort. Assurez-vous qu'il n'y a aucune tension dans les épaules ou le cou et essayez de presser le bas du dos contre le mur. Pendant tout l'exercice, gardez les jambes droites, mais relâchées ; ne verrouillez pas les genoux.

∩ Position 2

Inspirez profondément et, en expirant, ramenez lentement la jambe droite vers la gauche, en gardant le pied fléchi, sans laisser le dos s'écarter du mur. Vous devriez sentir travailler le muscle de l'intérieur de la cuisse. Déplacez la jambe droite vers la position de départ et ramenez la jambe gauche vers la droite. Alternez 10 fois avec chaque jambe.

AJOUTER UN POIDS

Si vous avez de la difficulté à percevoir le mouvement dans le haut de la cuisse, posez la main à l'intérieur de la jambe et exercez une légère pression de façon à accentuer l'effort.

Quand vous serez plus fort, vous pourrez utiliser un poids pour augmenter l'effort. Posez un poids près du pied, que la jambe devra pousser sur le sol. Il vaut mieux procéder ainsi que de fixer le poids à la jambe.

RENFORCEMENT DES JAMBES

Ces exercices furent d'abord conçus pour
traiter des problèmes articulaires aux hanches
ou aux genoux, ou des blessures aux jambes.
Ils sont également valables pour renforcer
sans danger les muscles des jambes.

NIVEAU DÉBUTANTS

Pour obtenir de meilleurs résultats, pratiquez cet exercice aussi
lentement que possible avec
une grande concentration. Lorsque
la jambe est en extension complète, vous
devriez sentir les muscles se contracter
immédiatement au-dessus du genou.

↻ Position 1

Étendez-vous sur le dos, la tête et les épaules reposant sur un coussin dur et la plus grande partie de
la colonne sur le sol. Posez la jambe droite repliée
sur un grand coussin triangulaire et gardez le pied
gauche au sol.

↺ Position 2

Inspirez et, en expirant, fléchissez
le pied droit et soulevez-le pour
étendre la jambe. Imaginez une
corde attachée au gros orteil, qui
tire le pied vers le haut. Ne soulevez pas la jambe du coussin, mais
assurez-vous que l'extension est
complète.

↪ Position 3

Revenez à la position de départ et répétez
avec 10 montées lentes de chaque jambe.

RENFORCEMENT DES JAMBES — NIVEAU ÉLÉMENTAIRE

Encore une fois, faites cet exercice lentement, en concentrant le mouvement dans le pied.

➲ Position 1

Couchez-vous dans la même position que précédemment, étendez la jambe droite, le pied légèrement fléchi.

↺ Position 2

Lorsque la jambe est en extension complète, pointez les orteils lentement et fermement, sans flexion du genou ou de la cheville. Le pied devrait se trouver dans le prolongement de la jambe. Maintenez cette position quelques secondes.

↻ Position 3

Maintenant, fléchissez le pied vers l'arrière, en prenant conscience de l'étirement dans l'arrière du genou. Reposez le pied sur le sol et répétez la séquence 10 fois avec chaque jambe.

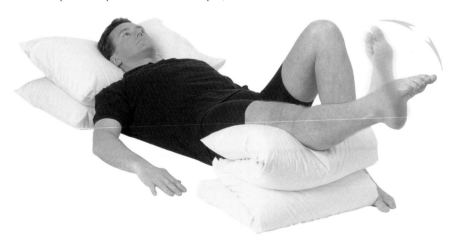

Renforcer les bras

Les exercices suivants visent à renforcer et à tonifier les muscles des bras. Lorsque ceux-ci seront plus vigoureux, vous pourrez ajouter des poids mais, au début, concentrez-vous sur les groupes de muscles à mobiliser.

POINTS À SURVEILLER

- *Imaginez que vous tenez un ballon de plage pour maintenir les bras en position circulaire.*
- *Le mouvement commence lorsque les mains sont à la hauteur du sternum. Ne les remontez pas à la hauteur des épaules ou du menton, ce qui causerait une tension.*

BRAS — NIVEAU DÉBUTANTS
➲ Position 1
Couchez-vous sur le dos, les genoux relevés, les pieds à plat sur le sol, écartés de la largeur des hanches. Assurez-vous qu'il n'y a aucun creux dans la colonne ou qu'elle n'est pas écrasée au sol ; le cou et les épaules doivent être détendus. Placez les bras en forme de cercle, les mains à la hauteur du sternum.

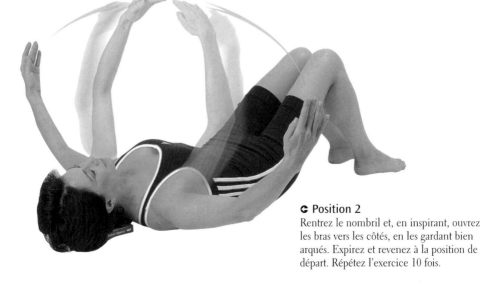

☾ Position 2
Rentrez le nombril et, en inspirant, ouvrez les bras vers les côtés, en les gardant bien arqués. Expirez et revenez à la position de départ. Répétez l'exercice 10 fois.

BRAS — NIVEAU ÉLÉMENTAIRE

Cet exercice fait travailler les triceps, soit les muscles situés derrière les bras.

↻ Position 1

Allongez-vous sur le dos, les genoux relevés et les bras tendus vers le haut. Posez la main gauche sous le coude droit pour le soutenir.

↻ Position 2

Abaissez lentement la main droite vers l'épaule droite, puis fermez le poing et ramenez-le lentement vers le haut. Répétez 10 fois, puis changez de bras.

Relâcher les muscles

La méthode Pilates comprend des exercices de pression sur un coussin. Il vous faudra un coussin très dur, sur lequel vous devrez appliquer une forte pression.

PRESSION DU COUSSIN

↻ Position 1

Couchez-vous sur le dos, les genoux repliés et les pieds à plat sur le sol. Les bras doivent reposer de chaque côté, bien détendus. Assurez-vous qu'il n'y a aucune tension dans les épaules ou le cou et que le bas du dos reste bien appuyé au sol. Posez le coussin entre les cuisses.

↻ Position 2

Inspirez et, en expirant, rentrez le nombril, contractez le bas des muscles fessiers et pressez lentement le coussin en comptant jusqu'à 10. Relâchez et répétez 10 fois.

LE CHAT

Voici un exercice de grande souplesse, où les mouvements coulent et s'enchaînent harmonieusement. Si vous avez mal au dos, n'effectuez que les deux premiers mouvements.

➲ Position 1

Installez-vous à quatre pattes et assurez-vous, à l'aide d'un miroir, que votre dos est aussi droit qu'un dessus de table. Les genoux doivent être écartés de la largeur des hanches, de façon que les épaules, les hanches et les genoux soient alignés.

↺ Position 2

Inspirez et, en expirant, rentrez le nombril, et arquez le dos tout en penchant la tête. Inspirez pour revenir à la position de départ.

➲ Position 3

Cette fois, en expirant, renversez le mouvement de façon à former un creux dans le dos ; pour y parvenir, vous devez redresser la tête et les fesses au plus haut. Inspirez et revenez à la position de départ. Répétez jusqu'à 10 fois.

Le programme Pilates : niveau 2

Lorsque vous croyez que vous maîtrisez tous les exercices du niveau 1, sans éprouver de tension, vous êtes prêt à aborder le niveau 2.

À ce stade, les exercices se font plus complexes. Vous allez mettre en œuvre simultanément quelques parties de votre corps et vous devrez vous concentrer sur tous les groupes musculaires avec lesquels vous avez appris à travailler au niveau 1. Rappelez-vous que la clé de la réussite consiste à effectuer les exercices lentement. Vous commencerez aussi à recourir à des poids. Il vous faudra deux types de poids : pour les chevilles et pour les mains (haltères). Vous trouverez des poids pour les chevilles dans les magasins d'accessoires de sport ; il suffit de les enrouler autour des chevilles, quand l'exercice le requiert. Les haltères seront des poids de 1 kg ; vous pouvez aussi bien utiliser des boîtes de conserve, une dans chaque main, à moins d'indication contraire.

Paroles de sagesse

« Assouplissez et étirez les muscles et les ligaments… Votre corps deviendra aussi souple que celui d'un chat, et non trapu comme celui d'un cheval de trait. »
JOSEPH PILATES

Où vous en êtes au terme du niveau 1

- *Vous avez commencé à travailler à la manière Pilates, rythmée et lente, et vous maîtrisez votre respiration, qui est égale et profonde.*
- *Vous avez isolé les muscles qui étaient requis et vous avez appris à les utiliser avec précision.*
- *Votre posture est en voie d'amélioration et vous ressentez moins de tension accumulée.*

Vos objectifs pour le niveau 2

- *Poursuivre les exercices du niveau 1 pour tonifier vos muscles davantage.*
- *Travailler à renforcer les régions clés, notamment à l'aide de poids.*
- *Améliorer la mobilité de toutes les articulations et, en particulier, développer la souplesse du dos.*

Vous devrez consacrer beaucoup de temps à ce niveau, avant de passer au dernier stade. Pratiquez tous les exercices lentement et à fond, en prenant bien conscience du travail qui s'effectue profondément dans chaque groupe musculaire mobilisé.

Certains exercices du niveau 1 se retrouvent au niveau 2. Commencez avec les exercices d'échauffement (voir les pages 46 à 57), puis continuez en travaillant la partie supérieure du corps.

Relâcher le haut du corps

Dans les exercices qui suivent, vous devez maintenir votre nombril bien rentré, garder bien droits votre dos et votre cou et détendre vos épaules. Commencez toujours chaque mouvement en étirant les grands dorsaux vers le bas.

HAUSSEMENT DES ÉPAULES AVEC DES POIDS

Cet exercice est le même que celui de l'échauffement, mais vous l'exécuterez maintenant avec des poids qui vous aideront à étirer les bras et à faire travailler les grands dorsaux. Vous pouvez aussi effectuer cet exercice sans les poids lors de la période d'échauffement.

↻ **Position 3**
Détendez les épaules en expirant et laissez-les retomber en les étirant vers le bas ; le mouvement doit provenir des grands dorsaux, profondément dans le dos. Continuez le mouvement de façon à repousser les bras vers le bas derrière vous. Sentez le haut de votre poitrine se dégager tout en constatant que votre sternum se gonfle. Répétez 10 fois.

↻ **Position 1**
Assoyez-vous sur une chaise ou sur un autre support, de préférence devant un miroir, les pieds à plat sur le sol et regardant vers l'avant. Laissez tomber les bras de chaque côté, chaque main tenant un poids de 1 kg.

↻ **Position 2**
Maintenant, inspirez et haussez les épaules vers les oreilles. Gardez les bras allongés, ne pliez pas les coudes.

LE CADRAN DE L'HORLOGE

Voici un exercice favorisant l'ensemble de la région lombaire équivalant à un massage des lombes et du sacrum. Le cadran ne fait pas référence au cercle dessiné par les genoux, mais au cercle de la région lombaire.

⟲ Position 1

Couchez-vous sur le dos, la colonne bien étirée sur le sol, les genoux rabattus sur la poitrine et les pieds détendus. Posez les mains tout juste en bas des genoux.

⮑ Position 2

Inspirez et, en expirant, rentrez le nombril vers la colonne. Gardez-le ainsi pendant tout l'exercice. En vous servant de vos mains comme guides, faites tracer à vos genoux un petit cercle imaginaire, mais concentrez-vous sur le plus grand cercle que votre dos trace sur le sol. Ne laissez pas vos hanches basculer; contentez-vous d'un mouvement lent et réduit. Tracez 10 cercles dans le sens des aiguilles d'une montre et 10 autres en sens contraire.

Relâcher la colonne

Voici le premier de deux exercices excellents pour ceux qui ont tendance à accumuler de la tension dans les épaules, le dos ou le cou. Cet exercice dégage et détend tout le haut de la colonne, ce qui contribue à améliorer la respiration.

> ### LA SERVIETTE
>
> *Cet exercice nécessite une serviette roulée. Servez-vous d'une serviette à main ordinaire et roulez-la serrée, puis attachez-en les extrémités avec des bandes élastiques. Si vous ne vous sentez pas à l'aise avec une serviette, vous pouvez vous en dispenser.*

RELÂCHEMENT DU HAUT DE LA COLONNE VERTÉBRALE — NIVEAU DÉBUTANTS

↻ Position 1

Couchez-vous sur le dos, les genoux relevés et les pieds à plat sur le sol. Posez une serviette roulée sous les omoplates et étirez les bras à la verticale, les doigts pointés vers le plafond, les paumes des mains tournées vers l'avant, mais sans tension.

↻ Position 2

Inspirez et, en expirant, rentrez le nombril vers la colonne. Faites basculer un bras vers l'arrière, jusqu'à ce que l'avant-bras repose à côté de l'oreille. En même temps, faites basculer l'autre bras en sens contraire jusqu'à ce qu'il repose le long du corps, les doigts pointés vers les orteils. Inspirez à nouveau et, en expirant, inversez le mouvement. Alternez les mouvements 10 fois, en respirant profondément.

ROULEMENT DES HANCHES — NIVEAU ÉLÉMENTAIRE

Voici une version plus avancée du roulement des hanches qu'on retrouve dans les exercices d'échauffement. Ici, les pieds sont écartés, ce qui provoque un plus grand étirement que vous devriez percevoir dans tout votre corps.

➲ Position 1

Couchez-vous sur le dos, les pieds écartés de 45 cm, le cou et la colonne vertébrale étirés et détendus. Repliez les bras derrière la tête.

↻ Position 2

Inspirez et, en expirant, roulez les genoux vers le sol. Le genou le plus près du sol peut l'atteindre facilement, mais essayez de faire descendre aussi l'autre genou jusqu'au sol. En exécutant ce mouvement, roulez la tête dans la direction opposée, l'étirement latéral sera ainsi effectué tout le long du corps.

➲ Position 3

Inspirez en revenant à la position de départ, puis, en expirant, refaites le mouvement de l'autre côté. Alternez ainsi, 10 fois de chaque côté.

Mobiliser le bas du dos

Une mauvaise utilisation des muscles peut provoquer des douleurs et une raideur au bas du
dos. Voici des exercices pour aider à relâcher
toute tension accumulée dans cette région.

**BASCULE DU PELVIS —
NIVEAU INTERMÉDIAIRE**
Voici la suite des exercices de
bascule du pelvis, auxquels on
ajoutera des mouvements des
bras. Auparavant, répétez
les deux premières étapes
(pages 64-65).

↻ **Position 1**
Expirez en rentrant le nombril et
contractez les muscles fessiers.

↻ **Position 2**
Commencez à soulever les hanches du sol lentement, tout en gardant le nombril bien rentré.

➲ **Position 3**
Au point le plus haut que vous
pouvez atteindre sans inconfort,
tout en maintenant vos abdominaux contractés, inspirez et commencez à relever les bras.

⤴ Position 4

Tout en gardant fermement la position, faites passer vos bras au-dessus de la tête jusqu'à ce qu'ils reposent à plat sur le sol.

↻ Position 5

En expirant, mobilisez vos abdominaux pour dérouler votre colonne vers le bas, vertèbre par vertèbre, tout en gardant les bras allongés. Quand le bassin atteindra le sol, vous percevrez dans les bras une intensification de l'étirement.

POINTS À SURVEILLER

- Veillez à respirer correctement, car la respiration est essentielle pour bien exécuter cet exercice.
- Essayez de sentir vos vertèbres davantage à chaque répétition. Idéalement, votre dos devrait vous apparaître aussi souple que celui d'un serpent.
- Ne laissez aucune tension envahir vos épaules, votre poitrine ou votre cou. Si vous sentez une tension, c'est que vous êtes trop haut.
- Commencez toujours en rentrant le nombril vers la colonne et en contractant les muscles fessiers du bas pendant un instant avant de commencer à vous soulever.
- Plus vous exécuterez les bascules du pelvis lentement, plus elles seront efficaces.

↻ Position 6

Inspirez encore et ramenez les bras le long du corps. Répétez 10 fois, le plus lentement possible.

Renforcer la «génératrice»

Les exercices qui suivent s'inscrivent dans la série qui a commencé avec la contraction des muscles fessiers (voir page 68). Répétez ces premiers exercices 10 fois avant de passer aux suivants.

RELEVER LES TALONS
Après les exercices de contraction des fessiers, enlevez le coussin placé entre vos cuisses.

↻ Position 1
Étendez-vous sur le ventre dans la position initiale. Inspirez profondément et, en expirant, rentrez le nombril vers la colonne. Puis contractez les muscles à la base des fesses, de façon qu'ils puissent tous travailler. Gardez cette position pendant tout l'exercice.

↻ Position 2
Inspirez et, en expirant, repliez lentement la jambe en orientant le talon vers vos fesses. Inspirez et rabattez le pied lentement, en percevant l'extension du muscle ischio-jambier et en contractant toujours les muscles abdominaux.

Détendez-vous, prenez une profonde inspiration puis expirez pour rentrer le nombril, comme auparavant. Répétez 10 fois avec chaque jambe.

PRÉPARATION POUR LA FLÈCHE

La flèche est l'un des exercices les plus efficaces pour toute la « génératrice ». Il est présenté au complet à la page 110, au niveau trois. Il s'agit ici d'une introduction destinée à renforcer les muscles qui seront mis à contribution.

↻ Position 1
Étendez-vous sur le ventre et allongez les bras au-dessus de votre tête.

↻ Position 2
Inspirez et, en expirant, rentrez le nombril vers la colonne. Contractez les muscles fessiers. Étirez vers le bas les grands dorsaux et le trapèze de façon à tirer les bras vers le bas et à relever légèrement la tête, bien alignée avec la colonne. Revenez à la première position et répétez jusqu'à 10 fois.

POINTS À SURVEILLER

- *N'essayez pas de relever le torse très haut, l'étirement se fait en longueur.*
- *Assurez-vous que les muscles abdominaux et fessiers restent contractés durant tout l'exercice.*
- *Reposez-vous lorsque vous vous sentez fatigué.*

↻ Position 3
Demeurez quelques moments en position de repos (voir page 69).

Tonifier les jambes

Vous devriez maintenant sentir que vos jambes sont plus robustes et vous devriez être plus conscient des différents groupes musculaires qui s'y trouvent. Les exercices des quatre pages qui suivent visent à tonifier, à renforcer et à étirer davantage vos jambes.

SOULÈVEMENT LATÉRAL

Dans cet exercice, la jambe monte plus haut que dans l'exercice de la page 70. Assurez-vous toujours que le genou, le pied et la hanche sont tous bien alignés et orientés vers l'avant.

↻ Position 1

Couchez-vous sur le côté, le dos bien à plat contre un mur, les hanches parallèles et orientées vers l'avant, un petit coussin sous la taille. Placez un coussin ou une serviette entre la tête et le bras étendu sur le sol. Posez l'autre main sur le sol comme appui.

↻ Position 2

Inspirez et, en expirant, rentrez le nombril vers la colonne. Puis soulevez la jambe du haut, en gardant le genou vers l'avant. Vous devriez sentir le muscle qui travaille tout le long de la cuisse. Abaissez et répétez 10 fois avec chaque jambe.

↻ Position 3

Lorsque vous serez capable de lever une jambe avec aisance, vous pourrez exécuter un double soulèvement des jambes. Soulevez très peu les jambes (c'est un exercice plus difficile à faire) et arrêtez si vous ressentez une tension. Effectuez cet exercice lentement jusqu'à 10 répétitions.

INTÉRIEUR DES CUISSES — NIVEAU ÉLÉMENTAIRE

Cet exercice et le suivant visent à renforcer les muscles de l'intérieur de la cuisse, souvent oubliés. Vous mobiliserez les mêmes muscles que dans l'exercice de la page 71. Si vous avez de la difficulté à trouver les bons muscles, répétez l'exercice précédent.

☋ Position 1

Allongez-vous sur le côté, le dos bien à plat contre un mur. Assurez-vous que vos hanches et vos épaules sont alignées et gardez-les contre le mur tout au long de l'exercice, même lorsque les jambes sont en mouvement. Placez un gros coussin ou une serviette roulée devant vous et posez-y le genou du haut. Posez la tête sur le bras et étirez la jambe du dessous.

☋ Position 2

Inspirez et, en expirant, rentrez le nombril vers la colonne. Le pied légèrement pointé, étendez la jambe du dessous. En gardant le genou vers l'avant, soulevez le talon lentement. Inspirez en le rabattant doucement ; essayez d'accomplir tout le mouvement en douceur. Répétez 10 fois de chaque côté.

VOUS VOULEZ VOUS SENTIR PLUS FORT ?

Effectuez les mouvements de l'exercice ci-dessus, mais des poids aux chevilles. Toutefois, n'essayez pas avec les poids tant que vous n'aurez pas réussi à le faire tel quel, sans effort.

EXTÉRIEUR DES CUISSES — NIVEAU ÉLÉMENTAIRE

Cet exercice est identique à celui du niveau 1, mais vous l'effectuerez avec des poids aux chevilles.

PONTS À SURVEILLER

POINTS À SURVEILLER

- *Gardez le dos complètement à plat contre le mur, les hanches orientées directement vers l'avant.*
- *Gardez les jambes parallèles.*
- *Pour obtenir de meilleurs résultats, le mouvement doit être exécuté le plus lentement possible, les jambes en extension.*

↻ Position 1

Attachez les poids aux chevilles et allongez-vous sur le côté, le dos appuyé à plat contre un mur. Laissez le bras du dessous étendu et posez un oreiller plié deux fois entre ce bras et la tête ; posez un autre oreiller sous la taille. Repliez la jambe du dessous et posez la jambe du dessus sur un gros coussin dur. Fléchissez le pied de la jambe du dessus et posez le bras du dessus à plat contre le mur.

↻ Position 2

Inspirez et, en expirant, rentrez le nombril et étirez les grands dorsaux vers le bas du dos. Gardez le bras du dessus à plat contre le mur et, pour allonger la taille, soulevez légèrement la jambe du dessus, les hanches, les genoux et les pieds orientés vers l'avant. Rabaissez la jambe et répétez 10 fois avec chaque jambe.

ÉTIREMENT DES FESSIERS

L'étirement des muscles fessiers se fait en deux étapes, la première étant la plus facile. C'est également un étirement oblique pour le dos.

EN DOUCEUR

- *Ne forcez pas en pivotant. Si vous ressentez une tension dans le dos, arrêtez immédiatement.*
- *Assurez-vous que la main appuyée sur la jambe droite repose sur la cuisse et non sur le genou.*

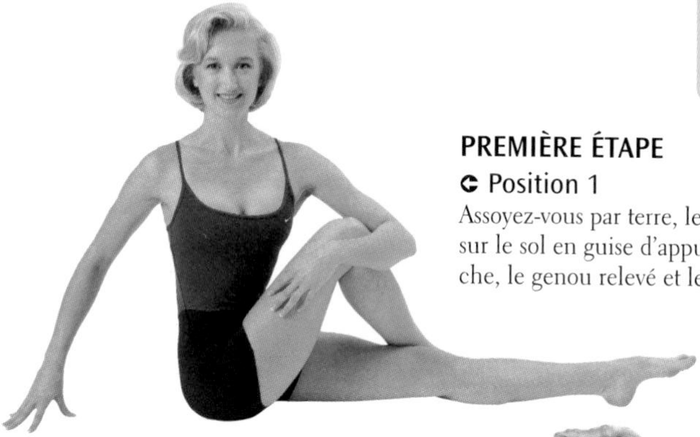

PREMIÈRE ÉTAPE

Position 1

Assoyez-vous par terre, les jambes droites, la main droite posée sur le sol en guise d'appui. Croisez la jambe droite sur la gauche, le genou relevé et le pied droit derrière le genou gauche.

Position 2

Pivotez doucement vers la droite. Percevez l'étirement qui commence dans les fesses et qui monte vers le haut du corps jusqu'à ce que la tête pivote. Maintenez l'étirement, revenez à la position de départ et répétez quatre fois de chaque côté.

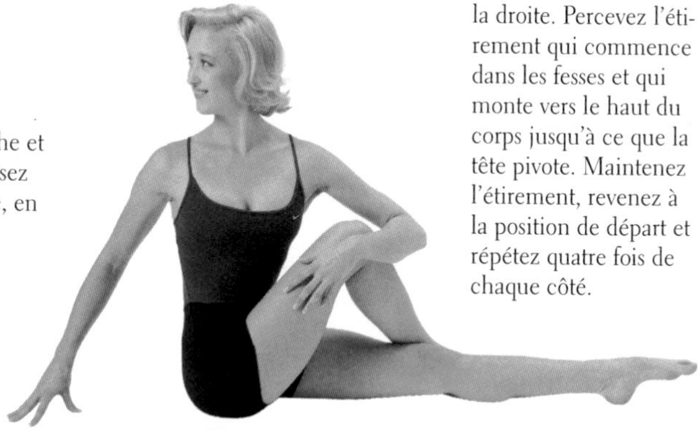

DEUXIÈME ÉTAPE

Première position

Assoyez-vous, repliez la jambe gauche et ramenez le pied vers les fesses. Croisez la jambe droite par-dessus la gauche, en posant la main gauche sur la cuisse.

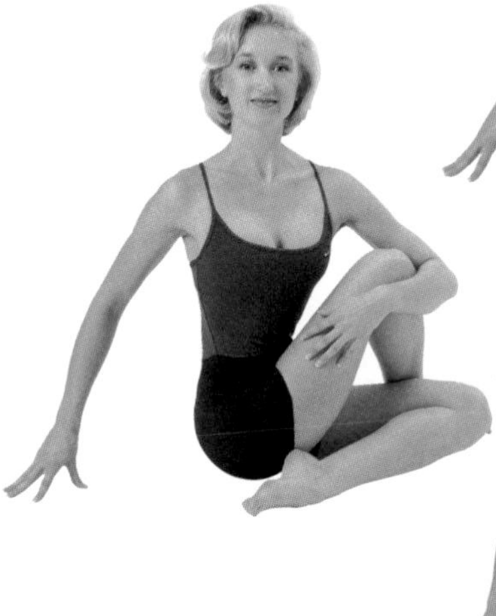

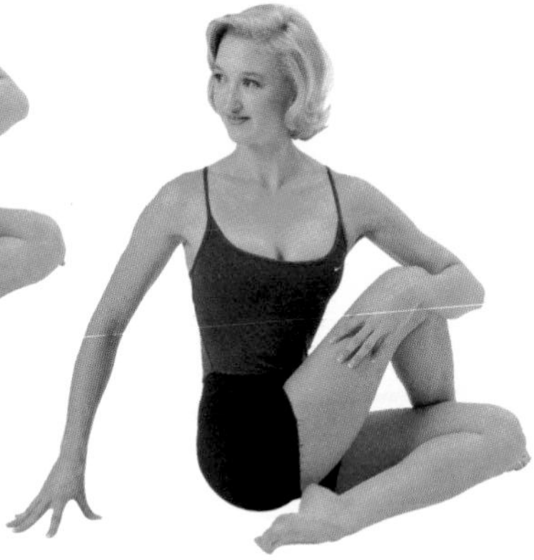

Position 2

Comme auparavant, pivotez vers la main appuyée au sol en effectuant un mouvement lent, doux et maîtrisé, et en prenant conscience de la progression de l'étirement dans tout le corps. Gardez le dos droit.

Renforcer les abdominaux

Les muscles abdominaux sont essentiels pour l'équilibre, la force et la posture, mais il faut un certain temps pour les rendre plus forts. Faites les exercices suivants très doucement et arrêtez si vous constatez que vos abdominaux font saillie. Cela signifie qu'il y a trop de tension dans les muscles abdominaux et ceux du dos et que vous tentez probablement de pousser le mouvement plus loin que nécessaire. Les abdominaux obliques sont les muscles dont vous pouvez prendre conscience lorsque vous pivotez ou que vous vous penchez.

REDRESSEMENTS

Exécutez ces redressements seulement lorsque vous aurez maîtrisé ceux du niveau 1. On ne réussit rien en forçant pour aller plus vite, on risque au contraire de faire saillir les abdominaux et de provoquer une tension dans le dos. Il est préférable d'effectuer des mouvements plus modestes mais bien maîtrisés.

⊙ Position 1

Couchez-vous sur le dos, les pieds sur une chaise, de façon que les genoux forment un angle droit. Posez un traversin ou un coussin entre vos genoux. Posez les mains derrière la tête et assurez-vous que les épaules et le cou sont détendus.

↻ Position 2

Inspirez et, en expirant, rentrez le nombril vers la colonne. Soulevez la tête et les épaules en les gardant bien détendus. N'essayez pas de vous redresser complètement. Il est beaucoup plus important que les abdominaux restent creusés en forme de pelle ; s'ils commencent à saillir et à trembler, vous vous êtes redressé trop haut. Déroulez lentement pour regagner la position de départ. Répétez l'exercice 10 fois.

REDRESSEMENTS OBLIQUES

Comme vos abdominaux obliques sont fort probablement moins développés que ceux du centre, ne tentez pas de vous soulever très haut au début.

↻ Position 1

Couchez-vous sur le dos, les genoux relevés. Passez la main gauche derrière la tête, et posez la droite sur le ventre, de façon à percevoir vos muscles abdominaux.

↻ Position 2

Inspirez et, en expirant, rentrez le nombril vers la colonne.
Étirez les grands dorsaux vers le bas du dos. Roulez vers la droite comme si vous sortiez du lit. Étirez la main droite pour opposer une résistance aux muscles obliques. Lorsque les obliques sont très forts, on arrive à soulever tous les grands dorsaux, mais bien peu de débutants y parviennent ! Redressez-vous jusqu'à une hauteur où les muscles abdominaux peuvent tenir sans saillir ni trembler. Relâchez et changez de côté. Répétez 10 fois de chaque côté.

ÉTIREMENT D'UNE JAMBE

Cet exercice et l'étirement des deux jambes (voir page 120) sont les exercices originaux les plus connus de la méthode Pilates. Leur désignation est un peu trompeuse, car ils constituent beaucoup plus qu'un simple étirement des jambes!

POINTS À SURVEILLER

- *Tenez bien la position de base — nombril bien rentré et épaules recourbées — pendant l'exercice. Ne vous allongez pas complètement avant de l'avoir terminé.*

- *Essayez de maintenir une légère torsion des hanches; vous en serez plus conscient au moment où vous étirez la jambe.*

➲ Position 1

Allongez-vous sur le dos, les genoux rabattus sur la poitrine. Gardez les genoux écartés de la distance entre les épaules et joignez les pieds. Rentrez le nombril et inclinez le haut du torse vers l'avant en glissant les mains jusqu'aux chevilles.

↺ Position 2

Inspirez et, en expirant, étirez la jambe droite tout en ramenant le genou gauche vers la poitrine et en gardant la main gauche sur la cheville gauche. Vous maintiendrez ainsi la cheville alignée avec le genou.

↻ Position 3

Inspirez et, en expirant, étirez-vous. Changez de jambe. Répétez, en alternant, 10 fois avec chaque jambe.

Renforcer les bras

Voici des exercices visant à renforcer et à tonifier les muscles des bras. Pratiquez-les d'abord sans poids, puis avec des poids lorsque les bras seront plus forts. Vous pouvez vous servir d'haltères (jusqu'à 1 kg) ou de boîtes de conserve.

POIDS POUR LES BRAS — NIVEAU DÉBUTANTS

Cet exercice a été proposé au niveau 1, mais sans poids. Si vous ressentez une pression dans les bras, continuez à le faire sans poids.

POIDS POUR LES BRAS — NIVEAU ÉLÉMENTAIRE

C'est un nouvel exercice, à essayer sans poids pour commencer. Efforcez-vous de garder les bras bien courbés pendant tout l'exercice.

➲ Position 1

Couchez-vous sur le dos, et dressez les bras en forme ovale. Si vous n'utilisez pas de poids, joignez les doigts légèrement. Si vous utilisez un poids, saisissez-le à deux mains.

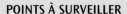

POINTS À SURVEILLER

■ *Garder les bras courbés pendant l'exercice.*

■ *Formez un cercle avec vos bras au niveau du sternum; évitez de garder les bras trop haut et trop près des épaules.*

↻ Position 1

Couchez-vous sur le dos, les genoux relevés, les pieds à plat sur le sol et écartés de la largeur des hanches. Assurez-vous que le bas de votre dos repose bien sur le sol et que votre cou et vos épaules sont détendus. Formez un cercle avec vos bras, les mains au niveau du sternum. Si vous utilisez des poids, tenez-en un dans chaque main.

↺ Position 2

Inspirez, rentrez le nombril vers la colonne et ouvrez les bras vers les côtés, en maintenant l'arc de cercle. Expirez et revenez à la position de départ. Répétez 10 fois.

↺ Position 2

Expirez pour rentrer le nombril et ramenez les bras vers l'arrière de la tête, tout en maintenant la forme ovale. N'allez pas trop loin, de peur de faire saillir les abdominaux. Expirez pour revenir à la position de départ. Répétez 10 fois.

Renforcer le dos

Cet exercice est destiné aux muscles du dos, souvent négligés ou complètement oubliés. Vous devez l'effectuer très lentement, en concentrant toute votre attention sur le dos, afin de prendre conscience de ces muscles.

↻ Position 1
Postez-vous face au mur, les orteils tout près. Écartez les pieds de la largeur des hanches. Assurez-vous que votre dos est bien droit et qu'il n'y a aucune tension dans le cou et les épaules. Posez les paumes à plat sur le mur, au niveau des épaules.

↻ Position 2
Commencez à faire bouger vos doigts en les faisant grimper sur le mur. Pendant que les mains montent graduellement, prenez conscience de chacun des muscles qui travaillent dans le dos.

↻ Position 3
Continuez à faire grimper vos doigts jusqu'à extension complète des bras, mais sans tension. Ne haussez pas les épaules pour aller plus haut.

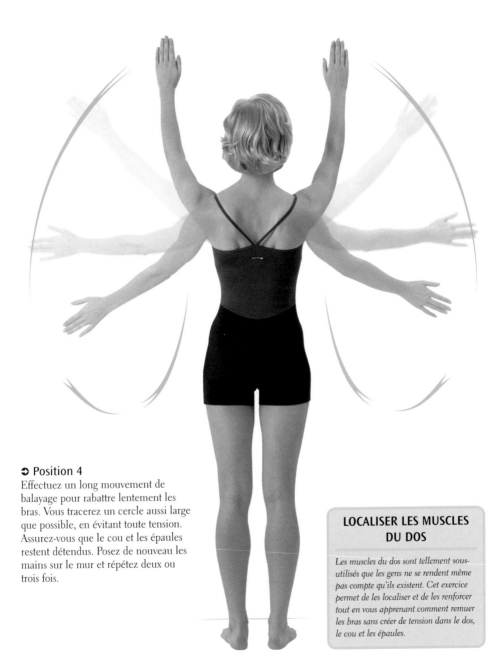

➲ Position 4

Effectuez un long mouvement de balayage pour rabattre lentement les bras. Vous tracerez un cercle aussi large que possible, en évitant toute tension. Assurez-vous que le cou et les épaules restent détendus. Posez de nouveau les mains sur le mur et répétez deux ou trois fois.

LOCALISER LES MUSCLES DU DOS

Les muscles du dos sont tellement sous-utilisés que les gens ne se rendent même pas compte qu'ils existent. Cet exercice permet de les localiser et de les renforcer tout en vous apprenant comment remuer les bras sans créer de tension dans le dos, le cou et les épaules.

Faire travailler les jambes

RENFORCEMENT DES JAMBES — NIVEAU INTERMÉDIAIRE

La troisième étape des exercices de renforcement des jambes comprend une torsion vers l'extérieur. Rappelez-vous que la torsion prend toujours sa source dans l'articulation de la hanche, et non dans la jambe ou le pied. Avant d'effectuer cet exercice, répétez les deux premiers de la série (pages 72-73).

➲ Position 1

Couchez-vous sur le dos, le genou droit sur un coussin, comme dans les exercices précédents. Inspirez et, en expirant, levez la jambe la plus basse et tendez-la de façon qu'elle repose sur le coussin. Les muscles au-dessus du genou doivent être contractés et toute la jambe doit être bien étirée.

↻ Position 2

Lorsque la jambe est en pleine extension, tournez-la vers l'extérieur à l'aide d'une torsion de la hanche plutôt que d'un mouvement du pied. Ramenez-la en sens opposé et abaissez-la. Répétez lentement 10 fois avec chaque jambe.

ÉTIREMENT DES QUADRICEPS

Cet exercice vous fera ressentir un long étirement qui monte jusqu'au devant de la cuisse. Il vous faut un plan d'appui élevé et solide, comme une table ou un comptoir de cuisine à votre taille.

➲ Position 1

Assoyez-vous sur le bord de la table, puis allongez-vous. Glissez un coussin sous votre tête et votre cou. Rabattez doucement vos genoux vers la poitrine.

↻ Position 2

Inspirez et, en expirant, rentrez le nombril en vous assurant que votre dos repose entièrement sur la table. Laissez la jambe gauche retomber sur le bord de la table et retenez la jambe droite sur la poitrine, sans pression. Gardez les abdominaux contractés et le dos complètement sur la table. Maintenez cette position au moins trois minutes. Le poids de la jambe qui pend permet d'ouvrir l'articulation de la hanche.

↻ Position 3

Tout en gardant les muscles abdominaux fermement contractés et le dos en contact avec la table, inspirez et ramenez la jambe gauche. Expirez et laissez la jambe droite retomber à son tour. Répétez 10 fois en alternant avec les deux jambes.

ÉTIREMENT DES MUSCLES ISCHIO-JAMBIERS

Les muscles ischio-jambiers sont souvent très tendus, surtout chez les femmes qui portent des talons hauts. N'exagérez pas l'étirement, vous devez ressentir l'étirement, mais pas de tension.

➲ Position 1

Assoyez-vous sur le rebord d'un lit, tendez une jambe sur le lit tandis que l'autre reste au sol ; assurez-vous que les hanches sont droites. Posez un petit coussin sous le genou de la jambe étirée et fléchissez le pied. Tenez-vous bien droit, le nombril bien rentré.

POINTS À SURVEILLER

- *N'essayez pas de prolonger l'étirement par des poussées discontinues, le mouvement doit être lent et continu.*

- *Si vous ressentez une tension, arrêtez immédiatement.*

⟳ Position 2

Inspirez et, en expirant, inclinez le buste doucement vers l'avant, en gardant le pied fléchi. Vous percevrez l'étirement à l'arrière de la jambe, dans l'ischio-jambier. Lorsque vous atteindrez la limite de l'étirement, maintenez-le quelques secondes. C'est un étirement lent et doux, il n'est pas nécessaire de vous projeter vers l'avant. Inspirez et revenez à la position de départ. Répétez 10 fois de chaque côté.

PRESSION DU COUSSIN — NIVEAU ÉLÉMENTAIRE

Cet exercice de pression est beaucoup plus difficile que celui du niveau 1. Vous ressentirez fortement la pression dans les muscles de l'intérieur de la cuisse. Effectuez d'abord l'exercice de la page 76 en guise d'échauffement.

DÉTENDEZ-VOUS

■ *Puisque cet exercice requiert beaucoup d'efforts, la tension peut s'insinuer très facilement. Entre chaque pression, veillez à éliminer toute tension dans le cou, les bras, le dos, les épaules et même le visage. Détendez-vous et recommencez.*

↻ Position 1
Allongez-vous, le dos bien à plat sur le sol, les jambes droites et étirées. Posez un coussin dur entre vos pieds légèrement fléchis.

↻ Position 2
Inspirez et, en expirant, rentrez le nombril et contractez les muscles du bas des fesses. Maintenant, pressez le coussin entre vos pieds. Vous devriez constater le travail que font les muscles tout au long de l'intérieur de la cuisse. Relâchez et répétez 10 fois.

Le programme Pilates : niveau 3

Lorsque vous aurez maîtrisé tous les exercices des niveaux 1 et 2, vous serez prêt à commencer la dernière étape du programme Pilates du niveau 3.

Il n'y a aucune urgence à passer au niveau 3. Il est préférable de passer plus de temps à renforcer les muscles que d'effectuer des exercices pour lesquels le corps n'est pas encore prêt et qu'il ne pourra exécuter correctement. Toute la « génératrice » — grands dorsaux, abdominaux, fessiers — doit être très forte pour réussir les exercices du niveau 3, surtout les redressements avancés, la flèche, le chien et le double étirement des jambes.

Il importe de bien préparer le corps avant d'attaquer ces exercices. Il faut prendre le temps d'effectuer les exercices d'échauffement. Ce sont des exercices simples, mais ils sont le fondement de tous les exercices plus difficiles.

Paroles de sagesse
« On peut atteindre une véritable flexibilité si tous les muscles sont développés uniformément. »
JOSEPH PILATES

Où vous en êtes au terme du niveau 2

- *Vous constatez maintenant une amélioration sensible de la tonicité et de la force de vos muscles.*
- *Votre posture est plus centrée et plus gracieuse, vos membres bougent avec plus de facilité et de précision.*
- *Votre mobilité et votre souplesse sont meilleures.*

Vos objectifs pour le niveau 3 et au-delà

- *Renforcer et tonifier davantage les muscles, surtout la « génératrice ».*
- *Améliorer la coordination par des exercices plus complexes.*
- *Acquérir un sens de la posture et de la démarche qui conféreront une prestance naturelle à tous vos gestes.*

Relâcher la colonne

Voici un exercice qui vous permettra de mieux vous détendre si vous avez tendance à accumuler de la tension dans les épaules, le dos ou le cou. C'est la suite du premier relâchement de la partie supérieure du dos (page 62), qui dégage toute la région et améliore la respiration.

RELÂCHEMENT DE LA PARTIE SUPÉRIEURE DU DOS — NIVEAU ÉLÉMENTAIRE

➲ Position 1

Couchez-vous sur le dos, les genoux relevés et le haut du dos sur une serviette roulée. Dans cet exercice, les bras décriront un cercle complet. Commencez avec les bras élevés, les doigts pointés vers le plafond.

↻ Position 2

Inspirez et, en expirant, rentrez le nombril vers la colonne. Tendez un bras derrière la tête et l'autre le long du corps vers l'avant, les doigts pointés vers les orteils.

➲ Position 3

Simultanément, ramenez les deux bras en croix, bien alignés ; les bras doivent former un angle de 90 ° avec le corps. Tournez les paumes et continuez la rotation jusqu'à ce que les bras aient interverti leur position initiale.

↻ Position 4

Ramenez les deux bras à la position de départ, dans un mouvement de rotation à la verticale. Recommencez le mouvement décrit à la troisième position. Répétez 10 fois.

RELÂCHEMENT DE LA PARTIE SUPÉRIEURE DU DOS — NIVEAU INTERMÉDIAIRE

Cet exercice prolonge les mouvements des bras et du dos décrits aux pages 60-61. Veillez toujours à mobiliser les muscles du dos plutôt que ceux des épaules.

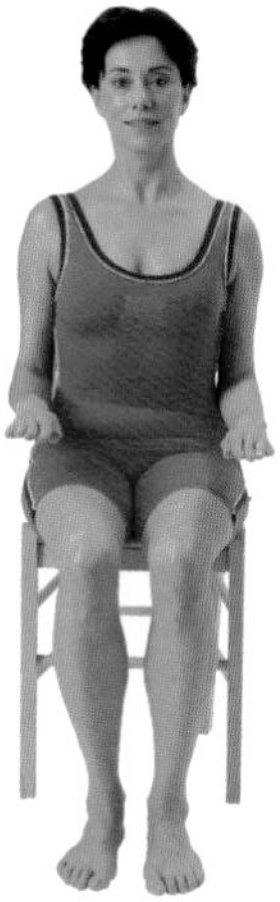

↻ Position 1

Assoyez-vous sur une chaise, les genoux pliés à angle droit, les épaules détendues et à la même hauteur. Repliez les bras aux coudes, en gardant les bras collés aux côtés, et tournez les paumes vers le bas.

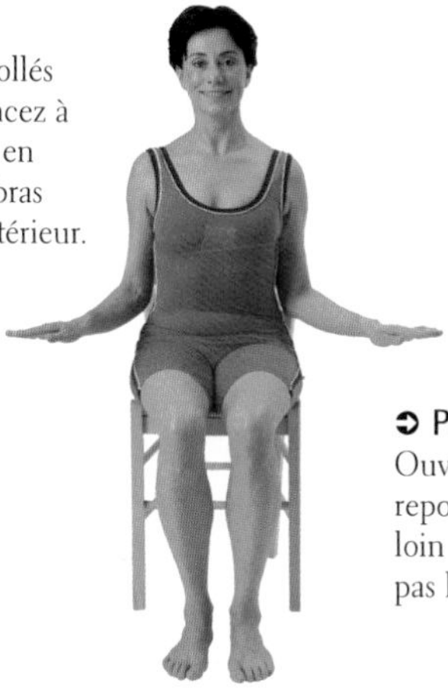

⤷ Position 2

Les bras toujours collés aux côtés, commencez à dégager la poitrine en tournant les avant-bras lentement vers l'extérieur.

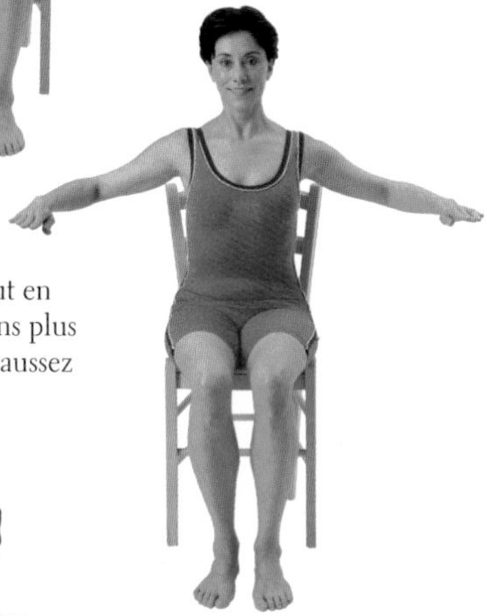

⤷ Position 3

Ouvrez les bras tout en repoussant les mains plus loin derrière. Ne haussez pas les épaules.

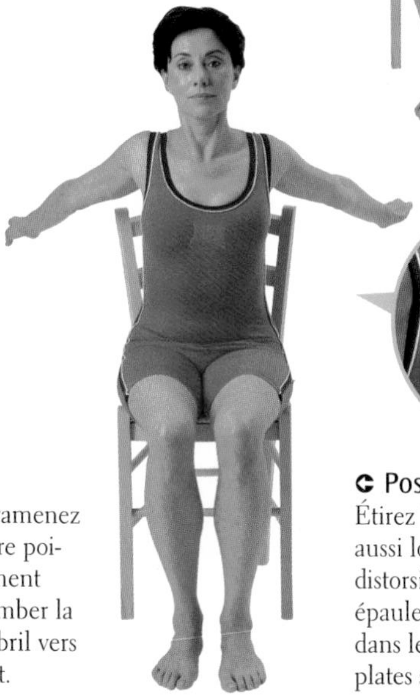

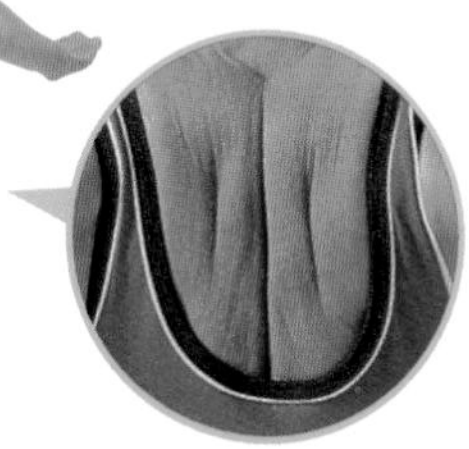

↻ Position 5

Pour relâcher le dos, ramenez vos bras autour de votre poitrine dans un mouvement d'étreinte, laissez retomber la tête et rentrez le nombril vers la colonne en expirant.

↻ Position 4

Étirez les bras derrière vous aussi loin que possible sans distorsion ni haussement des épaules. Sentez la pression dans le dos lorsque les omoplates se resserrent.

Faire travailler la colonne

Nous en sommes à la dernière étape des bascules du pelvis, la plus difficile. On ne devrait entreprendre cet exercice que lorsque les abdominaux sont très forts. Comme dans les exercices précédents, commencez par une profonde respiration. En expirant, rentrez le nombril vers la colonne, contractez les muscles des fesses et déroulez doucement la colonne pour la soulever du sol. Commencez par les bascules du pelvis du niveau élémentaire (voir pages 64-65, 84-85) en guise d'échauffement.

IMPORTANT

Cet exercice difficile est particulièrement exigeant pour les muscles abdominaux. Entraînez-vous à réussir chaque mouvement parfaitement plutôt que d'effectuer la séquence 10 fois dès le début. Si vous ressentez une douleur dans le dos, si le ventre commence à gonfler ou à trembler, arrêtez immédiatement.

BASCULES DU PELVIS — NIVEAU AVANCÉ

➲ Position 1

Couchez-vous sur le dos, les genoux relevés et les bras, le cou et le dos détendus. Posez un coussin entre vos cuisses.

↻ Position 2

Inspirez profondément et, en expirant, rentrez le nombril ; assurez-vous que la colonne repose bien à plat. Contractez les muscles à la base des fesses, sans contracter les ischio-jambiers dans les cuisses. La contraction des muscles fessiers a pour effet de tirer le corps vers le haut, pendant que vous resserrez les cuisses et déroulez la colonne, vertèbre par vertèbre.

➲ Position 3

Au point le plus haut que vous pouvez atteindre sans faire saillir vos abdominaux, inspirez et relevez les bras au-dessus de la tête jusqu'à ce qu'ils reposent bien à plat sur le sol derrière vous.

↻ Position 4

En expirant, déroulez votre colonne, vertèbre par vertèbre, sans bouger les bras derrière vous. Pendant que la colonne se déroule, vous sentirez l'étirement s'intensifier dans vos bras.

↻ Position 5

Expirez, glissez doucement les mains sous la tête et soulevez le buste très légèrement, le nez pointant vers le plafond.

↻ Position 6

Continuez à vous relever, en regardant droit devant, jusqu'à ce que la courbure atteigne le milieu des côtes.

↻ Position 7

Finalement, dégagez vos mains et rabattez-les vers les cuisses, en étirant les bras; vous devriez ressentir ce mouvement dans le bas des muscles abdominaux. Répétez 10 fois, en vous reposant au besoin.

La « génératrice »

Les exercices qui suivent prolongent le travail de soulèvement des talons du niveau 2. N'ajoutez des poids ou une serviette roulée que lorsque vous aurez maîtrisé parfaitement les exercices de base. Si vous ressentez une tension dans le dos, enlevez les poids immédiatement.

SOULÈVEMENT DU TALON AVEC DES POIDS

⋒ Position 1
Attachez les poids aux chevilles et étendez-vous sur le ventre, un coussin glissé sous l'abdomen et le visage reposant sur les mains. Inspirez profondément et, en expirant, rentrez le nombril vers la colonne. Contractez les muscles à la base des fesses, de façon que tous ces muscles entrent en action. Vous devrez maintenir cette position pendant tout l'exercice.

⋒ Position 2
Inspirez et, en expirant, redressez lentement la jambe vers les fesses aussi loin que possible. Assurez-vous que le talon ne dévie pas de son axe initial. Inspirez et rabattez le pied, en maintenant votre position. Répétez 10 fois avec chaque jambe.

SOULÈVEMENT DU TALON AVEC UNE SERVIETTE

⋒ Position 1
Exécutez cet exercice d'abord sans poids, mais ne l'effectuez pas si vous souffrez d'une blessure au genou ou si vous ressentez une vive tension. Couchez-vous sur le ventre, un oreiller sous l'abdomen. Glissez une serviette roulée sous vos jambes, juste au-dessus des genoux. Appuyez le visage sur les mains et gardez le haut du corps détendu.

⋒ Position 2
Inspirez et, en expirant, rentrez le nombril vers la colonne. Contractez les muscles du bas des fesses et maintenez cette position pendant tout l'exercice. Redressez lentement la jambe comme dans l'exercice précédent. Rabattez la jambe et répétez 10 fois, puis 10 fois avec l'autre jambe.

ÉTIREMENTS DU VENTRE

Pour obtenir un maximum d'efficacité, vous devrez garder le nombril bien rentré durant tout l'exercice. Faites-le d'abord une ou deux fois, en allant jusqu'à cinq si vous vous sentez suffisamment fort.

↻ Position 1

Allongez-vous sur le ventre, les bras et les jambes étendus, les mains et les pieds écartés de la largeur des hanches, les paumes tournées vers le bas, les jambes tournées vers l'extérieur et les pieds pointés. Glissez un oreiller sous le ventre et les hanches pour soutenir le bas du dos. Inspirez et, en expirant, rentrez le nombril vers la colonne. Vous devez prendre conscience qu'un espace se creuse entre votre corps et le sol. Maintenez cette position pendant tout l'exercice.

↻ Position 2

Inspirez et, en expirant, soulevez le bras gauche et la jambe droite d'environ 5 cm ; bras et jambes doivent rester bien tendus.

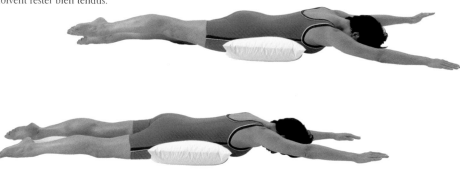

↺ Position 3

Inspirez en rabattant le bras et la jambe. Expirez et répétez avec le bras droit et la jambe gauche.

↻ Position 4

Inspirez et, en expirant, soulevez les deux bras et les deux jambes de 5 cm. Répétez le mouvement 5 fois.

LA FLÈCHE

La flèche mobilise chaque région de la « génératrice », soit les grands dorsaux, les muscles abdominaux et les fessiers, qui travailleront en harmonie. Commencez toujours par les exercices de contraction des fessiers et de soulèvement des talons (pages 68-69 et 86-87) avant de pratiquer la flèche, afin de vous assurer que tous les muscles peuvent travailler à leur capacité maximale.

➲ Position 1

Couchez-vous sur le ventre, face contre terre, sur un lit rigide ou sur le sol, un coussin sous l'abdomen. Glissez un oreiller sous votre front afin d'être plus à l'aise. Allongez les bras de chaque côté du corps, les doigts pointant vers les pieds.

↻ Position 2

Inspirez et, en expirant, rentrez le nombril vers la colonne. Contractez les muscles du bas des fesses. Repoussez les bras vers le haut, étirez les omoplates vers le pelvis et soulevez le sternum et la tête.

↷ ➲ Position 3

Ne cherchez pas à gagner de la hauteur. Il s'agit d'un exercice d'étirement, non de soulèvement. Inspirez pour redescendre et répétez 10 fois.

POSITION DE REPOS ASSISTÉE

Après la flèche, prenez un court moment de repos! Cette position est une variante de celle qui était proposée au niveau 1. Si vous avez un partenaire, demandez-lui de vous aider pour cet exercice. Demandez-lui de poser une main à chaque extrémité de votre colonne et de pousser doucement dans des directions opposées.

POINTS À SURVEILLER

- *Ne vous soulevez pas trop du sol; il s'agit d'un exercice d'étirement et non de soulèvement.*
- *Gardez les paumes tournées vers le plafond.*
- *Détendez bien votre cou et vos épaules.*
- *Gardez vos bras droits mais non rigides.*
- *Respirez longuement et profondément.*

➔ Position 1

À partir de la position de la flèche, ramenez le corps vers l'arrière jusqu'à ce que vous puissiez vous asseoir sur vos talons, les bras étirés vers l'avant.

↺ Position 2

Ramenez un bras vers l'arrière le long du flanc, les doigts pointés vers les orteils. Ensuite, ramenez le second bras. Vous vous sentirez peut-être plus à l'aise en tournant la tête d'un côté. Gardez cette position quelques instants et détendez-vous.

Relâcher le dos

À cette troisième étape des roulements de hanches, les bras sont en extension. Vous pourriez avoir besoin, au début, d'un meuble solide pour vous
aider à garder la position. Placez ce meuble derrière vous, de façon que
vous puissiez vous y retenir par les bras. Idéalement, servez-vous d'une
chaise ou d'une table dont les pattes sont écartées de 60 à 90 cm.

ROULEMENT DES HANCHES —
NIVEAU INTERMÉDIAIRE

➔ Position 1

Couchez-vous sur le côté, les bras
étendus de chaque côté ou retenus à
un meuble placé derrière votre tête
afin de vous assurer une plus grande
stabilité. Relevez les genoux à angle
droit ; les cuisses doivent être ver-
ticales et les jambes parallèles
au sol.

☾ Position 2

Inspirez et, en expirant, les
genoux joints, basculez lentement d'un côté, ce qui provoque un étirement oblique. Le
mouvement doit prendre sa
source dans le haut des muscles fessiers pour conduire à
un étirement maximal.

➔ Position 3

Vos hanches se sont détachées du
sol, mais vos épaules sont restées
bien à plat. La tête doit se trouver
tournée en position inverse des
jambes, à chaque étirement.
Effectuez 10 roulements lents de
chaque côté.

ROULEMENT DES HANCHES — NIVEAU AVANCÉ

Lorsque vous aurez maîtrisé l'exercice précédent, essayez celui-ci. Il requiert plus de force des abdominaux, qui doivent supporter tout le poids de la jambe.

↻ Position 1

Couchez-vous sur le dos, comme dans l'exercice précédent. Ancrez-vous à un meuble si vous le désirez ou étendez les bras de chaque côté. Étendez les jambes.

↪ Position 2

En inspirant, repliez le genou gauche lentement et tirez-le vers la poitrine, en gardant le pied pointé. Gardez la jambe droite étendue sur le sol.

↻ Position 3

Faites basculer la jambe gauche par-dessus la droite. Tournez la tête en direction opposée.

↪ Position 4

Étirez la jambe, repliez le pied et laissez le poids de la jambe le faire retomber. Gardez cette position pendant un moment, en prenant conscience de l'étirement. Pointez le pied. Inspirez, repliez la jambe et contractez les abdominaux pour rouler dans l'autre sens en ramenant le genou vers la poitrine. Expirez et redressez lentement la jambe dans la position de départ. Changez de jambe et répétez l'exercice de l'autre côté. Répétez 10 fois.

TORSION LATÉRALE

Cet exercice combine un étirement latéral et une torsion. Il dégage les flancs et fait travailler la taille, mais les hanches doivent rester complètement immobiles.

⮑ Position 1
Assoyez-vous bien droit, les jambes étendues. Repliez la jambe gauche, de façon que le pied atteigne le niveau du genou droit. Laissez le genou gauche rabattu.

OBSERVEZ-VOUS

Pratiquez cet exercice devant un miroir, si possible. Vous pourrez ainsi vérifier votre posture. Assurez-vous en particulier que votre dos reste droit pendant tout l'exercice, vos épaules basses et vos hanches parallèles.

⮑ Position 2
Étirez la colonne, en gardant le cou et la tête bien alignés. Levez les bras au-dessus de la tête, les doigts pointant vers le plafond. Inspirez. En expirant, tournez doucement le torse pour faire face au genou replié, tout en gardant les hanches bien parallèles.

⌒ Position 3

Abaissez les bras de chaque côté. Les paumes devraient faire face au plafond et les hanches rester immobiles. Assurez-vous qu'il n'y a aucune tension dans les épaules, et que le dos et la poitrine sont bien dégagés.

➲ Position 4

Expirez et inclinez le corps doucement vers la jambe en extension, tout en ramenant le bras opposé au-dessus de la tête dans un long mouvement circulaire et en allant poser le revers de la main de l'autre bras sur l'intérieur du pied. Maintenez l'étirement quelques instants, si possible.

↺ Position 5

Inspirez, revenez en position centrale et étirez le haut du corps le long de la jambe en extension. Reprenez la position de départ et répétez quatre fois de chaque côté.

Tonifier les jambes

Le premier exercice à ce niveau est une répétition des précédents, mais il est plus difficile en raison des poids aux chevilles. Assurez-vous que vos genoux, vos pieds et vos hanches sont bien parallèles et orientés vers l'avant. Le second exercice, les ronds de jambes, s'inspire d'un exercice de ballet à la barre ; on le pratique allongé au sol, ce qui permet de garder l'alignement plus facilement que debout à la barre. Il exige une grande force des abdominaux et des jambes.

EXTÉRIEUR DES CUISSES — NIVEAU INTERMÉDIAIRE
↻ Position 1

Attachez les poids aux chevilles. Couchez-vous sur le côté, le dos bien à plat contre un mur, les hanches parallèles et orientées vers l'avant, un petit coussin sous la taille. Posez la main juste en bas de la hanche et pressez délicatement. De cette façon, vous saurez que les efforts portent sur la cuisse extérieure.

➲ Position 2

Inspirez et, en expirant, rentrez le nombril vers la colonne. Relevez la jambe du haut, le pied légèrement fléchi, le genou tourné vers l'avant. Vous devriez sentir le muscle travailler tout au long du mouvement.

↻ Position 3

Continuez à redresser la jambe le plus haut possible avec la main en vous assurant que votre hanche est parallèle et ne bouge pas. Abaissez et répétez 10 fois avec chaque jambe.

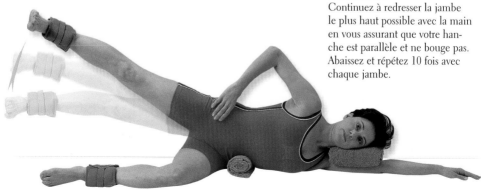

RONDS DE JAMBE

Il s'agit effectivement de tracer des cercles très petits, mais avec les orteils.

↷ Position 1

Couchez-vous sur le côté, le dos à plat contre un mur, les hanches parallèles, un coussin sous la taille et la main du haut posée sur la hanche. Repliez la jambe du dessus. Étendez le bras du dessous et appuyez-y la tête.

↻ Position 2

En expirant, relevez la jambe du dessus légèrement, car elle ne pourra pas s'élever bien haut.

↻ Position 3

Effectuez une rotation à partir de la hanche, de façon à tourner la jambe du dessus vers l'extérieur et à pointer le pied. Tracez quatre cercles avec les orteils, dans le sens des aiguilles d'une montre, puis dans le sens contraire. Répétez 10 fois avec chaque jambe.

Renforcer les abdominaux

Lorsque vous aurez réussi aisément les redressements du niveau 2, vous pourrez augmenter la difficulté en changeant de position, soit les pieds au sol, les genoux relevés, plutôt que les pieds sur une chaise. Les redressements seront ainsi plus prononcés !

↻ Position 1

Couchez-vous sur le sol, les genoux relevés et les pieds à plat. Glissez les mains derrière la tête. Assurez-vous que vos épaules et votre cou sont détendus.

↻ Position 2

Inspirez et, en expirant, rentrez le nombril vers la colonne. Soulevez la tête et les épaules du sol, le menton incliné, le cou et les épaules détendus.

↺ Position 3

Étirez les bras vers les genoux. Ne forcez pas au point de vous asseoir complètement. Il est beaucoup plus important que les abdominaux restent en forme de pelle. S'ils commencent à saillir ou à trembler, c'est que vous vous êtes redressé trop haut. Au point maximal, étendez les bras, ce qui accentuera le redressement. Revenez lentement à la position de départ, en déroulant le dos vers le bas. Répétez 10 fois.

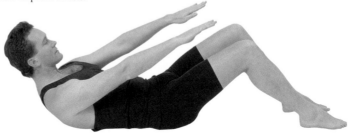

LE RENFORCEMENT OBLIQUE

Cet exercice fait travailler les muscles abdominaux obliques et affine la taille. Commencez par les première et deuxième positions et n'abordez la troisième que lorsque vous vous sentirez très à l'aise en effectuant les mouvements précédents.

➲ Position 1

Couchez-vous sur le sol, les genoux pliés, la colonne bien droite et le nombril rentré légèrement. Allongez le bras droit le long du flanc et repliez le gauche au coude pour que la main puisse soutenir légèrement la tête.

↻ Position 2

Inspirez et, en expirant, tendez le bras droit vers la cuisse droite. Soulevez la tête et le cou ; les épaules détendues ne doivent pas faire d'effort. En exécutant ce mouvement, tournez la tête de façon que le coude gauche et l'épaule basculent légèrement en direction du genou droit.

➲ Position 3

En contractant les abdominaux pour maintenir cette position, relevez le bras droit.

↻ Position 4

Tournez la paume de la main droite vers le haut et ramenez le bras gauche vers l'avant. Posez la paume gauche sur la droite. Étirez les deux bras joints au-delà du flanc droit. Glissez la main droite derrière la tête, retournez la paume gauche vers le bas. Revenez à la position initiale.

DOUBLE ÉTIREMENT DES JAMBES

Avant de commencer le double étirement des jambes, il serait sage d'effectuer 10 étirements d'une seule jambe comme à la page 94 (5 avec chaque jambe), en guise d'échauffement. C'est un exercice exigeant. N'espérez pas faire 10 répétitions dès le début; faites-en seulement trois ou quatre et augmentez progressivement.

↻ Position 1

Couchez-vous sur le sol, le dos bien à plat, les genoux repliés vers la poitrine, écartés de la distance entre les épaules. Posez les mains en dessous des genoux et assurez-vous que le cou et les épaules sont détendus.

↻ Position 2

Inspirez et, en expirant, rentrez le nombril. En maintenant le coccyx au sol, redressez la tête et les épaules, le menton pointé vers le bas, sans toucher à la poitrine.

↻ Position 3

Inspirez et étirez les bras et les jambes simultanément, de façon à former un angle de 60 ° par rapport au sol. Tournez les jambes vers l'extérieur, en resserrant l'intérieur des cuisses.

⟳ Position 4

Tout en gardant les jambes et les pieds en extension, expirez et étirez les bras vers le plafond, puis derrière la tête en frôlant les oreilles. Tournez les paumes vers l'extérieur.

⟳ Position 5

En inspirant, poursuivez le mouvement circulaire des bras vers les côtés, puis vers le haut, de nouveau à un angle de 60º. Pointez les orteils.

Expirez tout en repliant lentement les genoux et les coudes, en replaçant les mains en dessous des genoux et en reposant la tête et le haut du dos sur le sol. Répétez toute la séquence jusqu'à 10 fois.

LE CHIEN

Cet exercice a quelques similarités avec celui du chat (voir page 77), mais il nécessite beaucoup plus de force et un bon équilibre.

➲ Position 1

Commencez en même position que dans l'exercice du chat, le poids distribué également entre les mains et les genoux, les pieds écartés de la distance des hanches et le dos plat comme un dessus de table jusqu'en haut de la tête.

↺ Position 2

Inspirez et arquez le dos doucement en repliant le coude droit et en ramenant le genou gauche sous le torse. Vous êtes maintenant en équilibre sur la main gauche et la jambe droite.

↻ Position 3

Expirez et étendez le bras droit et la jambe gauche en les étirant le plus possible, tout en les gardant parallèles au sol.

Répétez l'exercice au moins cinq fois, ensuite changez de bras et de jambe et répétez cinq fois de l'autre côté.

Relâcher le haut du corps

Commencez par les quatre exercices pour le haut du corps, afin de bien vous placer et de chasser la tension dans le cou, le dos et les épaules. Commencez par le haussement des épaules avec des poids (page 80), puis les deux dégagements (pages 60-61 et 105) et, enfin, le cosaque (page 63).

BRAS ET GRANDS DORSAUX

L'exercice suivant fait travailler le buste et étire les grands dorsaux davantage. Il vous faudra un bâton d'environ 60 à 90 cm de longueur ou une serviette roulée et ficelée à l'aide de bandes élastiques.

⊃ Position 1

Allongez-vous sur le dos, les genoux relevés. Vérifiez l'alignement : il doit être bien droit de la base de la colonne jusqu'à la base du cou. Tenez le bâton ou la serviette dans les mains, écartées d'environ 45 cm.

↻ Position 2

Inspirez et, en expirant, rentrez le nombril et rabattez le bâton vers vous en pliant les bras aux coudes. Essayez de laisser vos épaules effleurer le sol.

➲ Position 3

Lorsque les mains se trouvent à la hauteur du visage, projetez les bras vers l'arrière de la tête.

↻ Position 4

Étirez les bras le plus possible, ce qui va aussi tirer les épaules.

➲ Position 5

Prenez une respiration profonde, redressez les bras et revenez à la position de départ. Répétez 10 fois.

Renforcer les bras

Continuez à faire les exercices pour les bras à partir du niveau 2 avec l'aide de poids et ajoutez les exercices suivants. Si vous ressentez une tension dans les bras, commencez sans poids pour vous assurer que vous bougez correctement ; n'ajoutez les poids que lorsque vous vous croirez plus fort.

BRAS —
NIVEAU INTERMÉDIAIRE
➲ Position 1
Couchez-vous sur le dos, les genoux relevés et les bras étirés vers le plafond. Tenez un haltère dans la main gauche. Posez la main droite derrière le coude gauche en guise d'appui.

↻ Position 2
Inspirez et, en expirant, rentrez le nombril vers la colonne. Abaissez lentement la main gauche vers l'épaule, puis ramenez-la lentement vers le haut. Répétez 10 fois avec chaque bras.

BRAS — NIVEAU AVANCÉ
↻ Position 1

Couchez-vous sur le dos, comme dans l'exercice précédent. Étirez les bras vers le plafond, en tenant un haltère dans la main gauche seulement. Posez la main droite derrière le coude gauche en guise d'appui.

↺ Position 2

Inspirez et, en expirant, rentrez le nombril vers la colonne. Abaissez lentement la main gauche, mais cette fois, vers l'épaule droite. Redressez lentement le bras. Répétez 10 fois avec chaque bras.

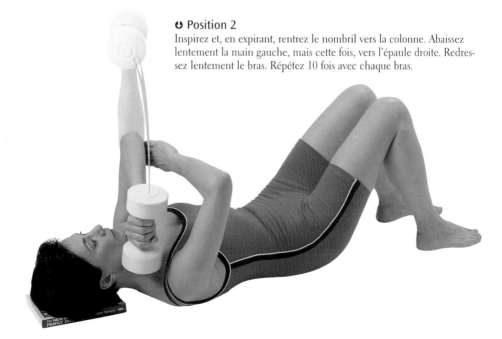

EXERCICES DES BRAS — DEBOUT

Voici des exercices supplémentaires pour les bras, cette fois en position debout. Il est très important de commencer prudemment, afin de pouvoir vous concentrer sur les bras sans aucune pression sur les épaules.

DELTOÏDES

Les deltoïdes sont les muscles situés au-dessus des épaules et du haut des bras. En fortifiant les deltoïdes, vous améliorerez votre posture, surtout si vos épaules sont rondes ou courbées, et vous assouplirez vos articulations.

↪ Position 1

Placez-vous dos à un mur, à une distance d'environ 30 cm. Écartez les pieds de la distance des hanches, de façon que les épaules, les hanches et les genoux soient bien alignés. Pliez légèrement les genoux en appuyant le dos contre le mur.

> ### POINTS À SURVEILLER
>
> - *Gardez le cou, les épaules et la poitrine dégagés et immobiles pendant tout l'exercice.*
> - *Travaillez lentement et en prenant conscience de la résistance.*
> - *Maintenez le dos bien à plat contre le mur.*

↪ Position 2

Inspirez et, en expirant, étirez les grands dorsaux vers le bas et redressez les bras jusqu'à ce qu'ils soient perpendiculaires au corps. Prenez garde de ne pas relever les épaules. Abaissez et répétez 10 fois.

TRICEPS ET BICEPS

Les triceps et les biceps sont des muscles des bras d'usage courant. Les biceps se trouvent devant et les triceps derrière le haut des bras. L'exercice qui suit a pour but de tonifier et d'affermir toute cette région.

⤷ Position 1

Reprenez la position de l'exercice précédent, les épaules bien relâchées, la tête et le cou dégagés.

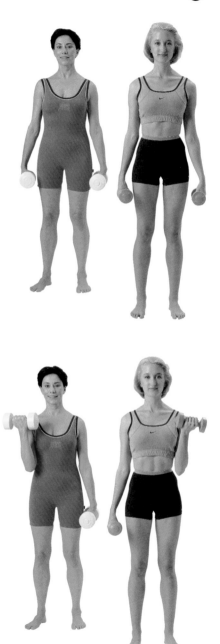

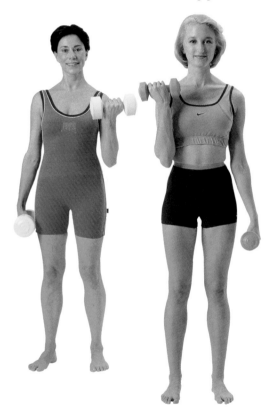

⏷ ⤷ Positions 2 et 3

Repliez un bras pour lever l'haltère jusqu'à la poitrine. En redescendant, commencez à relever l'autre bras. Alternez, 10 fois de chaque côté.

MOUVEMENT EN AVANT

Pour faire travailler les triceps et les biceps, tenez-vous debout, légèrement incliné vers l'avant, afin d'empêcher que l'effort de traction ne se répercute dans le dos. Maintenez le nombril rentré pendant tout l'exercice, et veillez à ne pas relever l'épaule en rabattant le bras en arrière.

➲ Position 1

Postez-vous à quelque distance du mur, la main gauche appuyée sur un meuble solide. Posez la jambe gauche à 30 cm devant la jambe droite. Fléchissez la jambe gauche de façon à vous incliner légèrement vers l'avant. Tenez un haltère dans la main gauche.

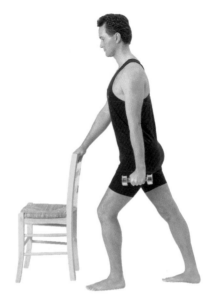

☾ Position 2

Inspirez et, en expirant, rentrez le nombril vers la colonne. Étirez les grands dorsaux vers le bas. Tournez le bras gauche de façon à diriger la paume vers l'avant et repliez le coude pour lever l'haltère. Gardez le coude près de la taille.

➲ Position 3

Rabattez le bras vers l'arrière et répétez 10 fois de chaque côté.

Faire travailler les jambes

RENFORCEMENT DES JAMBES — NIVEAU AVANCÉ

Voici le dernier exercice de la série consacrée au renforcement des jambes. Il combine un soulèvement, une rotation vers l'extérieur et un étirement. Effectuez toujours un des premiers exercices de renforcement des jambes (voir pages 72-73 et 98) comme échauffement.

↷ Position 1

Couchez-vous sur le dos, la tête et les épaules reposant sur un grand coussin, la jambe droite sur un autre coussin et la jambe gauche sur le sol.

↻ Position 2

Inspirez et, en expirant, rentrez le nombril vers la colonne. Relevez la jambe droite. Lorsque la jambe est en extension complète, pointez le pied, puis fléchissez-le.

↪ Position 3

Tournez la jambe vers l'extérieur d'un mouvement de la hanche et relevez-la davantage vers l'épaule gauche. Vous n'irez pas très haut, mais ne vous efforcez pas d'aller plus loin.

↻ Position 4

Rabattez la jambe sur le coussin, tournez-la vers l'intérieur et abaissez le pied. Répétez lentement, 10 fois avec chaque jambe.

Pliés

Les pliés sont, bien entendu, un exercice de ballet. Ils apparaissent comme de simples flexions des genoux mais, en réalité, ce sont des mouvements complexes lorsqu'ils sont bien exécutés. Commencez avec les jambes seulement, en vous concentrant sur les muscles des jambes et la position du dos. Vous ajouterez les mouvements des bras plus tard.

PLIÉS, PIEDS JOINTS
➲ Position 1

Tenez-vous bien droit, les muscles des cuisses tirés et la colonne bien allongée. Rentrez le nombril et contractez les muscles fessiers. Le cou devrait être allongé et la tête droite. Courbez les bras vers l'intérieur. Joignez les talons, les orteils pointés vers l'extérieur.

↺ Position 2

Inspirez et, en expirant, fléchissez les genoux autant que possible sans lever les talons. Lorsqu'ils plient, les genoux doivent rester au-dessus des pieds. S'ils roulent vers l'intérieur, c'est que vous tournez trop les pieds vers l'extérieur ; essayez de réduire l'angle. En fléchissant les genoux, tournez les muscles des cuisses vers l'extérieur, comme si vous vouliez que la face intérieure des cuisses pointe vers l'avant. En fléchissant les genoux, vous verrez vos bras se relever sur les côtés.

➲ Position 3

À la limite de la flexion des genoux, ramenez les bras en avant, toujours incurvés, inspirez et redressez les jambes jusqu'à la position de départ. Répétez 10 fois.

RESTER DROIT

- Ne laissez jamais les talons décoller du sol.
- Gardez la colonne droite pendant tout l'exercice ; évitez de vous arquer, de vous pencher vers l'avant et d'arrondir les épaules. Si vous faites un de ces mouvements, c'est probablement parce que vous tentez de tourner les pieds trop loin vers l'extérieur ; réduisez le V.
- Maintenez les abdominaux contractés.
- Ne laissez aucune tension s'insinuer dans les épaules.

PLIÉS, PIEDS ÉCARTÉS
⟳ Position 1

Tenez-vous droit, le dos bien allongé et les épaules détendues. Écartez les pieds d'environ 30 cm, les orteils pointés vers l'extérieur, alignés avec les genoux. Maintenez le nombril rentré durant tout l'exercice et placez les bras en courbe allongée, les doigts plus écartés que dans l'exercice précédent.

⟳ Position 2

Commencez en fléchissant les genoux, en laissant le dos s'affaisser et en imaginant encore une fois que l'intérieur des cuisses et les muscles fessiers sont tournés vers l'avant. Si le dos se voûte ou s'incline, ou si les genoux se tournent vers l'intérieur, ajustez la position des pieds.

⟳ Position 3

En fléchissant les genoux, commencez à relever les bras sur les côtés, les paumes tournées vers l'avant.

Au point de flexion le plus prononcé, sans lever les talons, continuez à lever les bras pour qu'ils pointent vers le plafond, mais sans hausser les épaules. Lorsque vous vous redresserez, serrez doucement les cuisses et rabaissez lentement les bras dans la position de départ. Répétez 10 fois.

ÉTIREMENT DES QUADRICEPS

Pour cet exercice, il vous faut un meuble solide, comme une table ou un îlot de cuisine, qui peut supporter votre poids et vous permettre de vous tenir debout sur une jambe légèrement fléchie.

TROP FACILE ?

Si vous pouvez faire cet exercice facilement, rendez-le plus difficile en posant une serviette roulée sous la jambe, au-dessus du genou. Si vous avec de la difficulté à atteindre le talon avec la main, utilisez une serviette comme lasso.

↻ Position 1

Allongez-vous sur une table ou une autre surface, la jambe droite sur la table et l'autre jambe posée au sol, le genou légèrement fléchi. Appuyez la figure sur les bras.

↺ Position 2

Inspirez et, en expirant, contractez les muscles fessiers. Ramenez le talon droit lentement vers les fesses. Saisissez votre pied de la main droite et tirez doucement. Maintenez cette position quelques secondes. Inspirez et rabaissez la jambe. Répétez 10 fois avec chaque jambe.

ÉTIREMENT DE L'ISCHIO-JAMBIER

Voici un étirement supplémentaire pour les muscles
ischio-jambiers. Il faut étirer ceux-ci de temps à autre
pour corriger l'effet d'une station assise prolongée.

⊃ Position 1

Assoyez-vous sur une chaise, les genoux pliés à un angle de 90 °. Allongez
la jambe gauche et glissez un livre épais sous le talon. Posez les deux
mains sur l'autre jambe, juste au-dessus du genou.

    Inspirez profondément et, en expirant, étirez bien la colonne vers le
haut, en vous inclinant légèrement vers l'arrière et en regardant vers le
haut. Maintenez la colonne, le cou et la tête bien alignés.

↷ ⊃ Positions 2 et 3

Le dos, le cou et la tête faisant bloc,
expirez et penchez-vous vers l'avant. Le
mouvement de rotation autour de l'axe
de la hanche permet d'étirer la jambe
gauche ; vous percevrez d'ailleurs l'étirement dans l'ischio-jambier. Maintenez
l'étirement pendant quelques instants.
Inspirez et expirez en inclinant le torse
en avant, au-dessus de la jambe. Dans
un mouvement de vague prenant
sa source dans le pelvis et remontant dans la colonne, déroulez-vous
jusqu'à la position de départ.
Répétez 10 fois avec chaque
jambe.

Abdominaux — niveau avancé

La méthode Pilates enseigne à contracter les muscles du ventre légèrement, mais fermement. L'exercice d'étirement oblique latéral qui suit va certainement mettre à l'épreuve la force que ces muscles ont acquise. Si l'effort est trop important, vous les verrez saillir sous l'effet de la tension, laquelle se fera aussi sentir dans les muscles du dos. Dans ce cas, arrêtez immédiatement. Travaillez lentement et ne faites qu'une ou deux répétitions au début. Rappelez-vous que dans la méthode Pilates, l'effort et la douleur ne sont pas le but recherché.

ÉTIREMENT DE CÔTÉ

➲ Position 1

Couchez-vous sur le côté, la jambe gauche repliée et la droite en extension complète. Immobilisez le pied droit sous un meuble ou demandez à quelqu'un de le tenir en place. Le bras droit est étendu le long du corps, le bras gauche est replié au coude, la main reposant légèrement sur l'épaule droite.

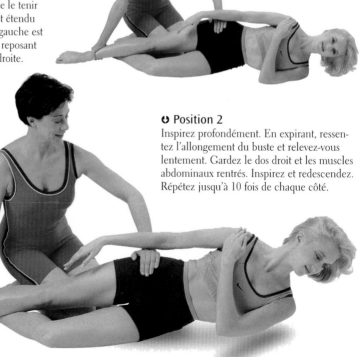

☊ Position 2

Inspirez profondément. En expirant, ressentez l'allongement du buste et relevez-vous lentement. Gardez le dos droit et les muscles abdominaux rentrés. Inspirez et redescendez. Répétez jusqu'à 10 fois de chaque côté.

ABDOMINAUX — ULTIME EFFORT
↻ Position 1

Assoyez-vous sur le sol, les jambes étendues, les pieds légèrement écartés et fléchis. Tenez-vous très droit, les épaules détendues. Tenez un bâton ou une serviette roulée dans les mains et relevez les bras au-dessus de la tête, sans relever les épaules.

∩ Position 2

Inspirez et, en expirant, rentrez le nombril vers la colonne. Commencez à descendre lentement vers l'arrière, en rabattant progressivement les bras vers l'avant. Continuez à descendre tant que le bâton n'a pas touché les cuisses. Le mouvement de déroulement doit passer par la colonne et le cou, ce qui a pour effet de faire baisser légèrement la tête.

↻ Position 3

Inspirez et, en expirant, ramenez le bâton au-dessus de la tête aussi loin que possible sans changer de position. Rabattez le bâton sur les cuisses, inspirez, et redressez-vous comme dans la première position. Répétez jusqu'à quatre fois.

Relâchement final des muscles

Nous en sommes à la dernière étape des pressions du coussin…
et du travail exigeant! Si vous trouvez cet exercice épuisant,
effectuez une des pressions du coussin des niveaux un ou deux
(voir page 76 ou 101).

PRESSION DU GENOU

L'effort exigé ne devrait se répercuter ni dans le cou ni dans les
épaules. Assurez-vous qu'ils restent détendus tout au long de
l'exercice.

➲ Position 1
Couchez-vous sur le dos,
les genoux relevés,
enserrant un coussin
rigide. Posez les mains
de chaque côté du corps.

↶ Position 2
Inspirez et, en expirant,
rentrez le nombril vers la
colonne. Pressez le coussin
avec les genoux.

↶ Position 3
En pressant le coussin,
relevez la tête et, si possible, les épaules en les
déroulant graduellement
tout en soulevant les bras
légèrement. Inspirez et
retournez au sol lentement.
Répétez jusqu'à cinq fois.

PRESSION DU COUSSIN AVEC LES PIEDS

Encore une fois, assurez-vous que l'effort provient des jambes et des muscles abdominaux. Ne le laissez pas s'insinuer dans le dos, le cou ou les épaules.

ↄ Position 1

Couchez-vous sur le dos, les jambes étendues. Allongez les bras de chaque côté du corps.

ↄ Position 2

Inspirez et, en expirant, rentrez le nombril vers la colonne. Pressez le coussin entre les pieds.

ↄ Position 3

Si vous le pouvez, relevez la tête en pressant le coussin. Inspirez en reposant la tête. Répétez jusqu'à cinq fois.

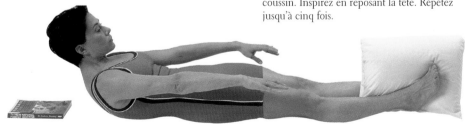

Les règles d'or de la méthode Pilates

■ *Commencez toujours par une séance d'échauffement.*

■ *Prenez votre temps ! Plus vous effectuerez les exercices lentement, le mieux ce sera.*

■ *Synchronisez bien les mouvements avec votre respiration.*

■ *Faites les efforts au moment de l'expiration.*

■ *Rappelez-vous continuellement le mantra : « Inspirez et, en expirant, rentrez le nombril vers la colonne. »*

■ *Vérifiez constamment votre posture.*

■ *Portez continuellement attention à ce que fait votre corps.*

■ *Développez votre force abdominale prudemment. Si vos abdominaux font saillie durant un exercice, arrêtez !*

■ *Remuez les bras et les épaules à partir des grands dorsaux et du trapèze et non à partir des épaules elles-mêmes.*

■ *Suivez bien les indications sur le nombre de répétitions. C'est la qualité qui compte et non la quantité.*

■ *Pratiquez les exercices Pilates régulièrement, idéalement tous les deux jours.*

■ *N'abandonnez pas ! Vous acquerrez grâce et prestance avec de la persévérance.*

Glossaire

LES GROUPES MUSCULAIRES ET COMMENT ILS INTERVIENNENT

Le groupe des abdominaux est étendu plus que la plupart des gens le croient, descendant jusqu'à l'os du pubis. Le muscle principal *(rectus abdominis)* occupe tout le devant de l'abdomen, c'est celui auquel on fait continuellement référence dans le mantra de Pilates : « Rentrez le nombril vers la colonne ».

- ➲ Les **abdominaux obliques** aident à pivoter de côté.
- ➲ Le *rectus abdominus* permet de pencher vers l'avant.
- ➲ Les **abdominaux transversaux** soutiennent les organes ; par exemple, lorsque vous rentrez le nombril, ils maintiennent les organes en place.
- ➲ Les **biceps**, à l'avant du haut des bras, font plier les bras et tourner les mains vers l'extérieur.
- ➲ Les **deltoïdes**, sur le dessus des épaules en haut des bras, font monter et baisser les bras, et leur permettent de s'étendre de côté.
- ➲ Le **grand fessier**, le muscle principal des fesses, est essentiel à une bonne posture. Il fait partie de la « génératrice » et devrait être ferme. Idéalement, il fonctionne en synchronisme avec d'autres muscles pour favoriser une bonne posture.
- ➲ Les **ischio-jambiers** descendent le long de l'arrière des cuisses. Ils font plier les genoux et soutiennent le pelvis. S'ils sont trop contractés, ils peuvent causer des malaises dans le bas du dos.

- ➲ Les **grands dorsaux** *(latissimus dorsi)*, situés sous les omoplates, s'étendent jusqu'au pelvis. Ils supportent les omoplates et les maintiennent baissées. Tirer les grands dorsaux vers le bas permet d'allonger la colonne vertébrale, contribue aux mouvements des bras et favorise une bonne posture.
- ➲ Les **quadriceps** se trouvent à l'avant des cuisses. Ils aident à se pencher et à étirer les jambes, à les relever vers l'avant, à fléchir les cuisses et à plier les genoux en marchant.
- ➲ Le **sternum** (l'os de la poitrine) unit les côtes entre elles.
- ➲ Le **trapèze** va des épaules jusqu'à l'arrière du cou. Il soutient le haut du dos et les bras. Il est souvent très raide, à cause de la tension qui s'y accumule.
  Dans la méthode Pilates, le trapèze et les grands dorsaux travaillent généralement de concert pour détendre les épaules.
- ➲ Les **triceps** sont à l'arrière des avant-bras et aident les bras à s'étirer.

achevé d'imprimé au Canada
en avril 2003
sur les presses de l'imprimerie Interglobe Inc.